스무살전에 꼭 알아야하는 연말정산

스무살전에 꼭 알아야하는 연말정산

발 행 | 2024년 5월 31일
저 자 | 부동산여신&금융의여왕&달리는부자&책쓰는부자&강의하는부자(신은주)
펴낸이 | 한건희
펴낸곳 | 주식회사 부크크
출판사등록 | 2014.07.15.(제2014-16호)
주 소 | 서울특별시 금천구 가산디지털1로 119 SK트윈타워 A동 305호
전 화 | 1670-8316
이메일 | info@bookk.co.kr

ISBN | 979-11-410-8766-1

www.bookk.co.kr

스무살전에 꼭 알아야하는 연말정산

부동산여신&금융의여왕&달리는부자&책쓰는부자&강의하는부자(신은주)지음

저자소개 & 책소개

나는

[1분만에 계산하는 부동산세금]

[1분만에 계산하는 삼쩜삼세금]

[1분만에 계산하는 임대사업자세금]

[1분만에 계산하는 부동산대출]

[하루만에 끝내는 아파트청약]

[부자로 만들어주는 하루명언 '마디']등등을 쓴

부동산여신&금융의여왕&달리는부자&책쓰는부자&강의하는부자

신은주이다.

내 필명이자 아이디인 '부동산여신&금융의여왕&달리는부자&책쓰는부자&강의하는부자'는 모두 내가 되고싶은 모습들을 모아서 아이디를 만든 것이다.

자꾸 쓰고 말하다보면

언젠간 부동산여신도 되고 금융의여왕도 되어있지 않겠는가??

부동산에 관심을 가지게 된건

한창 부동산시세가 상투를 잡던 2021년즈음이었다.

2021년즈음 결혼후 전업주부로만 살아오다 다시 일자리를 찾아보

니 40대후반의 경단녀 주부가 다시 일할수 있는 곳은 잘 없었고,
전산세무회계자격증이 있으면 그래도 늦은나이에 취업이 가능할수
도 있다는 얘기를 듣고 전산세무회계공부를 하게된다.

공부를 해나가던 중
여러분도 알다시피 2021년은 엄청난 부동산 상승기였다.
10년전 청약으로 분양받은 우리아파트값도 3,4배로 오르고
주변의 새아파트가 교통호재로 연일 상종가를 쳤다.
또 약간 떨어져있는 곳은 프리미엄아울렛의 등장으로
아파트값이 오르기 시작했다.

이거구나
가만히 앉아서 돈버는 방법이 정말 있었구나!
가만히 앉아서 돈버는 방법이 따로 있었구나!

그길로 서점으로 달려가 부동산, 경매관련책을 사와서 읽었다.
당장이라도 경매낙찰을 받아 수익을 낼 것만 같았다.

하지만, 부동산공부를 시작했던 2022년 초부터는
서서히 부동산이 하락기에 접어들었고,
그리고, 덜컥 낙찰을 받기에는
세금,대출,대출이자등등 걸리는게 많았다.

그래서 부동산공부를 시작하려면
부동산세금과 대출이 필수라는 생각을 가지게 되었고,
부동산세금과 대출에 대한 공부를 하면서
그 결과물들을 책으로 내게 되었다.

내 책들은 그렇다.
누가보면 이런것도 책으로 내나 할정도로 쉬우면서도
아주 기초적인 내용들이다.
아니 전문가도 아닌 사람이 낸 책을 누가사냐 할수도 있다.
아니 투자경험 1도 없는 사람이 쓴 부동산책을 누가사냐할수도 있다.

하지만, 내 책들은 부동산의 기초중의 기초다
부동산의 ㄱㄴㄷ , ABC 라고 해두자.

정말 생초보, 생초짜, 부린이라고 생각하는 분들은
꼭 내 책들을 읽어보기 바란다.

어렵지 않다.
쉬워도 너무 쉽다.

나도 책을 한권 쓰기 위해선 최소 몇권의 관련책들을 읽는다.
개중에는 한두장만 읽다 덮은 책도 있다.

우리는 학교다닐 때 수포자, 영포자라는 말을 많이 썼었다.
너무 어려워서 꼭 부동산공부를 포기하게 만드는 책도 있더라는
말씀이다.
그러니 처음 부동산공부를 시작하는 분들은
꼭 쉬운책으로 공부하기 바란다.
그리고 작년 내 책들이 출간된 이후로
초보자들을 위한 책들이 많이 출간되는거 같아 기분이 좋다.

그래 나보다 더 많이 아는 사람들이
더 쉽게 책을 써서 내어준다면 그보다 더 좋은 일이 어디있겠는가

옛날 신라의 원효가 불교의 대중화에 공헌하였듯
난 부동산공부의 대중화에 공헌하고 싶다.

단지 돈많은 투기꾼들만의 전유물로 생각했던 부동산공부를
우리나라 국민모두가
필수과목을 공부하듯 공부해야한다고 생각한다.
물론 세금도 마찬가지고

내나이 40대 후반, 50이 다 되가서야
집에 대해 공부하고 세금에 대해 공부하고..
그동안 경제관념 0에다 돈을 너무 몰랐던 나자신이
개탄스럽기 그지없다.

시작하기에 너무 늦은 나이는 없다고??

있다

눈도 침침하고 체력도 안 받쳐주고

머리도 팽팽 안돌아간다.

하지만 난 10년후를 보고 공부하고 있으며

10년후엔 뭐가 되어도 되어있지 않겠는가??

그리고 나중에 어른이 되어 시집갈 딸에게도

부동산을 잘 아는 친정엄마가 있으면

더 힘이 되지 않겠는가?

이렇듯 공부를 잘하고 계속하기 위해서는

강력한 동기가 있어야한다.

부동산 공부를 시작했다가

다 나가떨어지는 이유는

어렵기도 어렵고 또 투자할 돈이 없기 때문이기도 하다.

조금 있는 종잣돈은 하나 투자해버리면 묶여버리고

그 뒤에는 공부에 대한 동력을 잃는다.

내 동력은 뭘까?

공부한 결과물로 책을 쓰고 수익을 얻기 위해서?

그래 이것도 맞다.

하지만 출판한 책수에 비해 들어오는 수익은 미미하다.
그래서 공부의 동력을 잃을때가 많다.

그럼 뭘까??

공부를 해야하는 이유가 생겨야 한다.
내가 책을 한두권 써내고
주변사람들을 만나니 내게 청약에 대해서도 묻고,
재건축에 대해서도 묻고, 토지에 대해서도 묻는다.

그래서 더 공부해야한다.

내가 아는 사람들이 손해를 안보고 대처해나갈수 있도록
조언해주고 도와줘야한다는 생각이 들어서다.

그리고 그건 곧 나의 일이기도 하다.

내 아이가 성인이 되면 청약을 준비할 것이고,
지금사는 우리집도 언젠간 노후화되어
재건축,재개발에 들어갈 것이다.

그때 가서 공부하면 늦다.
그리고 잘 모르면 다른사람들에게 휘둘리게 되고

올바른 선택을 못하게 된다.

부동산뿐만 아니라 예전에 [1분만에 계산하는 삼쩜삼세금]이라는
책을 썼듯 나는 세금에 대해서도 관심이 많다.
세금에 대해서도 공부해나갈 것이며
쉽고 재미있는 책을 써서 세린이들의 걸음마를 돕고 싶다.

청약책을 쓰고 시간이 많이 흘렀다.

그동안 이래저래 바빴고, 자격증딴다고 수험공부도 했었고..

원래는 재개발/재건축에 관한 책을 쓰고 싶었는데

취업준비로 예전에 준비했던 전산세무2급 시험을

다시 준비하면서 공부했는데

수험공부를 하면서 '연말정산'이야말로

더 시급히 사람들이 꼭 알아야 것이라는 생각이 들어

'연말정산' 책을 쓰게 되었다.

현실이 그렇다.

4년대를 나오고 나이가 4,50이 되어도

연말정산에 대해 모르는 사람이 부지기수다.

1월말에서 2월 연말정산 시즌이 오면

회사에서 '연말정산간소화자료'를 제출하세요라고하면

그때서야 부랴부랴 홈택스에 가서 자료를 뽑는다.

소득공제가 뭔지

세액공제가 뭔지

이유도 모른체

의미도 모른체

어디에, 어떻게, 뭐가 적용되는지도 모른체

그냥 내라는데로 낸다.

환급되는 세금이 있다고하면
내가 언제 세금을 냈었나요??라고 생각한다.

급여명세서의 국민연금, 건강보험, 고용보험도 세금이라고 생각한다.
엄밀히 말해 국민연금, 건강보험, 고용보험은 세금이 아니다.
사회보장제도일 뿐이다.

연말정산에서 환급되거나, 더 내기도 하는 세금들은
급여에 붙는 소득세와 지방소득세이다.

자 이 책을 통해
급여명세서를 샅샅이 파헤져보고
연말정산을 하는 원리, 종합소득세와의 관계
연말정산간소화자료는 연말정산에서 어디에 쓰이는지 등등을 살펴보고자 한다.

항상 부동산과 세금공부를 하며 드는 생각은
왜 이런공부를 스무살이 되기전에
중,고등학교에서 배우지 않고 우리는 어른이 되었을까이다.

그리고, 하나더 스무살, 즉 어른이 되기 전에 꼭 공부해야할 것은
결혼과 이혼도 포함해야한다.

아무 생각없이 상대를 고르고 결혼하고
그러다 아무 준비없이 이혼하는 사람들이 너무 많다.
아이가 없으면 모르지만 아이가 있는 경우 그건 크나큰 불행이다.

그래서, 우리는 스무살(어른)이 되기전에
결혼에 대해서 공부하고
결혼이 사랑하는 두사람만의 간단한 일이 아닌
시댁이 생기고, 처가가 생기는 아주 큰 일임을 자각하고
대처해갈 수 있도록 해야한다.

이야기가 샛길로 샜다.
암튼 중,고등학교에서 좀 이런 공부들을 시켜줬으면 좋겠다.

고등학교를 졸업하고 스무살 어른이 되면
당장 닥쳐오는 문제가 **돈과 일**이다.
뭐 대학을 가서 공부를 더하는 경우도 많지만
이때부터 돈과 일에 대해 알아가야한다.

알바를 한다면 알바세금과 4대보험등등도 알아야하고
독립을 한다면 전세집,월세집 구하는 방법도 알아야하고
나중에 집마련을 위한 청약도 알아야한다.

그리고 세무에 이어 노무적인 부분도 알아야한다.

4시간을 일하면 30분의 휴게시간이 있어야하고
8시간이상근무시에는 1시간의 휴게시간이 주어져야한다.
그리고, 알바를 하더라도 주휴수당, 연장근무수당, 야근수당, 공휴
일수당등등을 잘 챙겨 받아야한다.

우리는 왜 이런것들을 스무살되기전에 배우지 않는가?
왜 학교에서 가르치지 않는가??
제발 실생활에 도움안되는 삼각함수, 미분, 적분좀 그만 가르쳐라
애들 모두를 수학자를 만들고 싶은가???

스무살이 넘어가면 이제 어린이가 아니다.
잼민이도 아니고 급식도 아니다.
성인이 된다는 것이며 성인에게 돈과 일은 필수다.
대학교를 가서 공부를 더한다음 사회로 나오기도 하지만
고등학교만 졸업하고 바로 취업을 해서 사회로 나오기도 한다.

우리의 돈을 대하는 태도는 어떠한가??
회사경리에 대한 이미지는 어떠한가??
나도 쥐꼬리만한 재산도 없는 가난한집 출신이지만
아버지는 항상 돈은 몰라도 된다고 하셨고
돈을 밝히면 속물적이다는 사회적편견을 배우며 자랐고
무슨 조선시대도 아닌데 아직 우리사회는
학문을 숭배하고 장사치들은 하대한다.

요즘 또 인문학이 어쩌고 하면서
인문학이 유행하는거 같던데
왜 세금학, 세무학, 노무학등등은 유행하지 않나??

그래서 우리는 자신이 받는 급여의 세금도 계산할줄 모르고,
연말정산도 할줄 모르는 바보로 직장생활을 시작한다.
이게 정상인가?

우리 사회의 **경리**를 보는 태도는 어떠한가?
나는 경리를 생각하면 항상 영화에서 껌을 쫙쫙 씹으며
빨간립스틱과 빨간매니큐어를 칠한 술집종업원같은
아가씨가 생각난다.

경리의 일은 세무, 회계, 노무, 사회보험까지
아주 많은 것들을 처리하는 일이다.
이 일이 과연 폄훼되어야 할 일인가???

그리고 세무회계를 상고나, 여상등에서만 가르치는것도
나는 잘못되었다고 생각한다.
세무회계는 온 국민이 알아야할 필수 과목이다.

그리고 부동산을 대하는 시선은 어떠한가?
또 대출을 대하는 태도는??

부동산을 생각하면 마담뚜니 복부인이니
이미지안좋은 풍채좋은 아줌마가 생각난다.

알게 모르게 우리는 **거부감을 이식받은채** 자라온 것이다.

그리고 대출은 어떤가??
대출하면 담보를 잘못서서 집이 풍비박산나는
그런 장면밖에는 안떠오른다.
대출은 그렇게 나쁜게 아니다.

자 은행을 한번보자.
나는 은행을 이때껏 공기업적인 측면이 강한 기관이라고 생각했다.
그건 오산이다.
은행도 이윤을 추구하는 일반 기업체와 다르지 않다.
은행은 그럼 뭐로 돈을 벌겠는가??
고객들이 유치한 돈을 다른 사람에게 빌려주며
이자를 받아 수익을 챙기는 것이다.

은행도 더 많이 빌려주어 더 많은 이익을 벌고 싶다.
근데 제동을 건다.
제동을 거는건 누구인가???
바로 정부고 정부가 정책들로 제동을 건다.

은행은 많이 저렴한 이자에 빌려주고 싶지만
정부가 자꾸 이자율을 높인다.
그럼 사람들은 높은 이자에 겁먹고 돈을 안빌리고
은행은 수익을 얻기가 힘들어 지는 것이다.

대출은 자신이 한달 수입중에서 이자를 감당할수만 있으면
빌려쓰면 너무 좋은 것이다.
물론 기간이 긴 것일수록 좋고
대출에 대해 잠깐 얘기하면
무슨 대출이 제일 좋을거 같은가??
그래 맞다
바로 주담대라고도 하는 주택담보대출이다.
왜 좋을까??
상환기간이 3~40년으로 아주 길다.
만기까지 이자만 갚다가 3~40년후 갚으면 된다.
그동안 집값은 올랐을테니 충분히 갚고도 남는다.

그 외는 신용대출, 마이너스통장등이 있는데
이건 상환기간이 좀 짧다.
보통 1년이 만긴데 연장해서 5년, 10년까지 쓸 수 있다.
대출은 이런 구조이니 잘 이용하면 좋으니
대출을 쓰는데 너무 겁먹지 말기 바란다.

서두가 너무 길었다.

세금, 부동산에 대해 생각하면 아직도 나보다 모르는

세린이, 부린이들 생각에 자꾸 화가 난다.

나도 아직 모르는게 더 많지만

내가 아는 정도만이라도 알게 해주고 싶다.

자 파란약을 먹을 준비가 되었는가?

p.s) 내 필명이자 아이디인 '부동산여신&금융의여왕&달리는부자&
책쓰는부자&강의하는부자' 는 모두 내가 되고싶은 모습들을 모아서
아이디를 만든 것이다.

'부동산여신&금융의여왕&달리는부자&책쓰는부자&강의하는부자'
의 이메일: hermes3535@naver.com

'부동산여신&금융의여왕&달리는부자&책쓰는부자&강의하는부자'
의 블로그 : https://blog.naver.com/hermes3535

'부동산여신&금융의여왕&달리는부자&책쓰는부자&강의하는부자'
의 카페 : https://cafe.naver.com/houserentalwoman

'부동산여신&금융의여왕&달리는부자&책쓰는부자&강의하는부자'
의 인스타그램 : https://www.instagram.com/hermes353535

'부동산여신&금융의여왕&달리는부자&책쓰는부자&강의하는부자'
의 유튜브 :https://www.youtube.com/channel/@richelf

------- 목차 -------

서두.

나는 글을 어렵게 쓰고 싶지 않다.

책은 쉬워야하고 공부는 재밌어야한다.

가까이에 두고 생각이 안날때마다 들춰봐라.

항상 보고 또보고 매일봐도 질리지 않는

밥같은 책이 되고 싶다.

1.연말정산

.

자 우리는 항상 무슨 공부를 하기전에

그 구조, 전체적인 틀을 먼저 알아야한다.

연말정산이 어떤식으로 흘러가는지

그 구조가 어떻게 되어있는지

내 급여명세서가 어디에 관계돼 있는지

연말정산때마다 뽑아서 주는 연말정산간소화자료는

연말정산에서 어디에 적용되는지 알아야한다.

항상 나무를 먼저 보지 말고 숲부터 봐야한다.

어디가 소나무구역인지 침엽수림구역인지 활엽수림구역인지를알고

그러고나서 그 안으로 더 세세하게 파고들면서 공부해나가야한다.

자 그럼 먼저 연말정산이란 숲을 한번 보자.

연말정산은 어떻게 구성되어 있을까?

내 급여명세는 어떻게 관계되어 있을까??

연말정산의 구조를 보기에 앞서

우리는 연말정산을 왜 하는지

종합소득세와의 관계는 어떤지부터 알아볼 필요가 있다.

(1)연말정산의 의미와 연말정산을 하는 이유

연말정산은 4대보험이 적용되는 직장에 다니고 있다면
1월 20일경 홈택스에서 연말정산간소화자료를 다운받아서
회사에 제출하고
그럼 회사는 3월10일까지 세무서에 제출한다.

여기서 조건은 4대보험이 되는 직장이다.
3.3%세금만 떼는 알바는 연말정산을 하지않고
대신 5월에 종합소득세신고를 한다.
또 원천세 6.6%를 떼는 일용직들은
원천세를 뗌으로서 모든 세금의무가 끝나므로
연말정산을 하지 않는다.

연말정산이 뭔가
바로 근로자들의 종합소득세신고라고 생각하면 된다.

보통 5월에 종합소득세 신고를 한다.

종합소득에는 뭐뭐가 있는가?

우리나라에는 모두 8가지의 소득이 있다.

근로소득, 사업소득, 기타소득, 연금소득, 이자소득, 배당소득, 양도소득, 퇴직소득이 있다.

이 중에서 양도소득, 퇴직소득은 분류소득이라고해서 종합소득에 같이 합해서 계산하지 않는다.

따로 독자적으로 계산해서 세금을 납부한다.

그 외 6가지 근로소득, 사업소득, 기타소득, 연금소득, 이자소득, 배당소득는 모두 합쳐서 5월에 함께 세금을 내는 것이다.

그래서 이름도 '종합소득세'이다.
6가지를 합쳐서 종합했으니까

그럼 회사를 다니며 급여를 받는 근로소득도 원래는 저때 종합소득세 신고를 해야하는 것이다.

하지만, 우리나라의 근로자가 얼마나 많은가???
사업소득자만으로도 벅찬데
거기다가 근로소득자들거까지 같이 종합소득세를 신고할라치면 한달안에 세무서가 과부하가 걸릴 것이다.

그래서, 일의 분담과 효율을 위해
근로소득은 3월에 먼저 소득세신고를 하는 것이다.
이걸 '연말정산'이라고 한다.

사람들은 용어에서 어려움을 많이 느낀다.
연말정산이라고 하지 않고
근로소득자의 좀 일찍하는 종합소득세신고라고 하면
더 이해하기가 쉽지 않을까??

(2)연말정산이 종합소득세와 다른점

사람들은 용어에서 어려움을 많이 느낀다.

연말정산이라고 하지 않고

근로소득자들의 종합소득세 세금신고와 납부하기라고 하면

훨씬쉬울 것이다.

자 우리는 여기서 소득세에 대해 좀 공부하고 갈 필요가 있다.

연말정산도 어차피 소득세의 한 갈래 아니던가??

우리(개인)가 버는 모든 소득(돈)의 종류는 아래와 같이 8가지다.

(법인이 버는 법인소득은 빼고)

그리고 그 돈을 벌면 내는 세금은 아래에 있는 세금이다.

근로 소득	사업 소득	기타 소득	이자 소득	배당 소득	연금 소득	퇴직 소득	양도 소득
근로 소득 세	사업 소득 세	기타 소득 세	이자 소득 세	배당 소득 세	연금 소득 세	퇴직 소득 세	양도 소득 세

위에서도 한번 언급했듯이

근로소득, 사업소득, 기타소득, 이자소득, 배당소득, 연금소득은

종합소득세에 같이 합쳐서 내고,

퇴직소득과 양도소득은 분류소득이라고 해서 따로 낸다.

자 그럼 여기에서 연말정산과

종합소득세 계산하는 과정을 비교해서 한번 보자.

연말정산 계산과정	종합소득세 계산과정
1년총급여	1년수입금액
−근로소득공제	−필요경비
=소득금액	=소득금액
−근로자소득공제	−사업자소득공제
=과세표준	=과세표준
×세율(종합소득세세율)(−누진공제)	×세율(종합소득세세율)(누진공제)
=산출세액	=산출세액
−세액공제	−세액공제
=납부세액	=납부세액
−기납부세액	−기납부세액
=최종납부세액	=최종납부세액

계산식은 이렇다.

둘다 비슷하다.

표에서 보면 파란색은 모두 빼주는 금액들이다.

하지만 빼주는 항목들이 차이난다.

근로소득공제와 필요경비 부분을 보자.

근로자는 1년 총급여에서 근로소득공제를 빼고

사업자는 1년 수입금액에서 필요경비를 뺀다.

근로소득공제	필요경비
근로소득공제표에 따라 공제 (아래표참조)	사업과 관련된 경비들 (아래표참조)

*근로소득공제금액표

총급여액(1년간 총급여액)	근로소득공제금액
500만원이하	총급여액×70%
500만원초과~1,500만원이하	350만원+ (총급여-500만원)×40%
1,500만원초과~4,500만원이하	750만원+ (총급여-1,500만원)×15%
4,500만원초과~1억원이하	1,200만원+ (총급여-4,500만원)×5%
1억원초과	1,475만원+ (총급여-1억)×2%

*필요경비

필요경비로 인정되는 것들	필요경비로 인정안되는 것들
-판매한 상품 또는 제품의 매입과 그 부대비용 -상품 또는 제품의 보관료,포장비,운반비,판매장려금 및 판매 -종업원 급여 -사업용 자산의 수선비,유지비,임차료,손해보험료 -사업과 관련이 있는 제세공과금 -건설근로자퇴직공제회에 납부한 공제부금 -근로자 퇴직급여 보장법에 따라 부담하는 부담금 -4대보험 사용자 부담 보험료 및 본인의 보험료 -이자비용	-소득세, 개인지방소득세 -벌금 및 과태료 -가산금 체납처분비 -가사와 관련된 지출 -부가가치세 매입세액 -채권자가 불분명한 차입금의 이자 -법령에 따라 의무적으로 납부하는 것이 아닌 공과금 -업무와 직접적인 관련이 없는 지출액 -업무와 관련하여 고의 또는 중대한 과실로 타인의 권리를 침해한 경우 지급되는 손해배상금등

-사업용 고정자산의 감가상각비 -대손금 -거래수량 또는 거래금액에 따라 지급하는 판매장려금 -매입한 상품,제품등의 재해로 인해 멸실된 것의 원가 -종업원을 위해 지출한 직장체육비,직장문화비, 가족계획사업지원비,직원회식비 -업무와 관련이 있는 해외시찰 및 훈련비 -광고선전을 목적으로 견본품,달력,수첩,컵,부채 기타 이외 유사한 물품을 불특정 다수인에게 기증하기 위해 지출한 비용 -위 경비와 유사한 성질의 것으로 해당 총수입금애게 대응하는 경비등	

자 그다음 빼주는 것을 보자.

소득공제다.

근로자소득공제와 사업자소득공제는 가지수가 다르다.

근로자를 우대해서 그런지 더 혜택을 많이 준다.

그래서 근로자소득공제에서 더 많이 빼주고

사업자소득공제에서는 적게 빼준다.

대신 사업자소득공제에서 빼주지 않는 항목들을

사업자의 필요경비에서 빼주는 것들이 있다.

자 표에서 한번 비교해보자.

(다른 항목들도 많이 있지만 대표적인 항복들만 적었다)

근로자 소득공제	사업자 소득공제
-인적공제 -국민연금 -건강보험 -신용카드사용액등	-인적공제 -국민연금 -건강보험은 빼주지 않는다. (필요경비에서 빼준다) -신용카드사용액은 빼주지 않는다(필요경비에서 사업과 관련된 비용을 빼준다)

그 다음 빼주는 것을 보자.

아래로 내려오면 세액공제를 빼준다.

근로자와 사업자를 비교해보자.

이것도 당연히 근로자세액공제가 사업자세액공제보다 항목이 많다.

근로자 세액공제	사업자 세액공제
-기부금 -의료비 -교육비 -보험료(사적)	-기부금 -의료비(매출상승으로 성실신고대상자가되면 세액공제가능) -교육비(매출상승으로 성실신고대상자가되면 세액공제가능) -사적보험료는 사업자는 세액공제가 안된다.

위의 표에서 말한 업종별 성실신고대상자 금액기준을 표를 통해 알아보겠다.

*업종별 성실신고대상자 기준금액표

1.도소매업등	2.제조업 음식/숙박업등	3.서비스업등
-농업임업 및 어업,광업 -도매 및 소매업 (상품중개업은 제외) -부동산 매매업 -그 밖에 제2호 및 제3호에 해당하지 아니하는 사업	-제조업 -숙박 및 음식점업 -전기가스,증기 및 공기조절공급업 -수도하수폐기물처리 -원료재생업 -건설업(비주거용 건물 건설업은 제외) -부동산개발 및 공급업 (주거용건물개발 및 공급업에 한함) -운수업 및 창고업 -정보통신업 -금융 및 보험업 -상품중개업	-부동산 임대업 -부동산업(부동산 매매업은제외) -전문과학기술 및 서비스업 -사업시설관리 -사업지원 및 임대서비스업등 -교육서비스업 -보건 및 사회복지서비스업 -예술스포츠 및 여가관련서비스업 -협회 및 단체 -수리 및 기타개인서비스업 -가구내고용활동 등
15억이상	7억5천이상	5억이상

그 다음은 뭘빼줄까?

맞다 기납부세액이다.

이 기납부세액이 바로 여러분이 한번쯤은 들어봤을

바로 **원천세**라는 것이다.

그리고 급여명세서에서 봤을 때 소득세로

표시되는 부분이다.

근로소득자 기납부세액	사업자 기납부세액
한달급여에서 근로소득간이세액표에 근거 하여 떼간 세금의 1년 총합. (급여명세서에서 소득세로 표시된다.)	원래 사업자는 기납부세액이 따로 없다. 하지만, 프리랜서 사업소득일 (알바등) 경우 3.3%세금을 떼고 급여를 받기 때문에 이 3.3%뗀 금액의 1년 총합이 기납부세액이 된다.

이 기납부세액이 바로 원천세이고 소득세이다.

우리는 모두 돈을 벌면 세금을 내야한다.

우리가 돈을 벌면 위에서 말한 8가지 소득중 한가지가 된다.

근로소득, 사업소득, 기타소득, 이자소득, 배당소득, 연금소득, 퇴직

소득, 양도소득이 있는데

근로소득, 사업소득, 기타소득, 이자소득, 배당소득, 연금소득은 종합소득세신고로 같이 합쳐서 세금을 내고
퇴직소득, 양도소득은 분류해서 따로 낸다고 하였다.

근로소득도 5월에 종합소득세신고할 때 같이 합쳐서 하면 좋겠지만 세무서들에 과부하가 걸리므로 따로 3월10일까지 한다고 했다.

그럼 근로소득도 다른 종합소득들처럼 1년치를 한꺼번에 계산해서 세금을 내면 되지 않냐 할 수 있다.
하지만, 하루하루 너무도 바쁜 직장인들에게 1년에 한번 근로소득을 신고하고 세금을 내세요라고 하면 할까??? 납세의 의무를 잘 지킬까??

이걸 미연에 방지하기 위해 근로소득자들의 소득은
1년치를 한꺼번에 계산해서 세금을 매기는 게 아니라
한달치를 계산해서 세금을 내라고 한다.
그것도 한달 월급받으면 그 월급에 대한 소득세를 내세요라고 하면 깜박하고 안내는 사람들이 많을 거기 때문에
회사에서는 미리 세금을 떼고 월급을 준다.
그리고 그 세금을 회사에서 대신 세무서에 내주는 것이다.
이게 바로 소득세이고, 원천세이다.
급여명세서에 소득세라고 나오는 게 이부분이고
국민연금, 건강보험, 고용보험과

식대, 보육수당등

급여명세서에 나오는 다른 항목들은

뒤에서 더 자세히 파헤쳐 보자.

2.소득세

(1)소득세란?

자 우리는 앞에서 소득세니 원천세니 하는 말들을 들었다.

그럼 소득세와 원천세에 대해서 좀더

딥(deep)하게 알아보자.

연말정산만 알고 싶은 분들은 이 장을 넘어가도 좋다.

이 장을 꼭 읽지 않아도

연말정산에 대해 아는데는 별 지장이 없다.

나도 이 파트를 넣을까말까 무지 고민했다.

공부하는데 있어 내용이 좀 방만해질 우려가 있고

그럼 책을 읽다가 집중력이 흐트러진다.

연말정산 하나만해도 벅찬데 다른거까지 알아야하냐며

복잡하게 생각되고 결국 어려워진다.

그리고 내 책

[1분만에 계산하는 삼쩜삼(33)세금(알바세금과 4대보험)]이라는

책에 자세히 나와있다.

더 알고 싶은 분은 그 책을 사서

읽어보라고도 하고 싶은데

그럼 그것도 귀찮고 번거로울수 있으니

이 책에서도 한번 더 얘기하도록 하겠다.

그래도 구매자가 지불하신

소중한 책값만큼의 값어치는 해야할 것 아닌가?!

소득세와 원천세에 대해 세세하게 알지 않아도
연말정산에 대해서는 알 수 있다.
연말정산은 근로소득을 받는 사람에 대한
근로소득세에 관한 거니까.

그 외 사업소득, 기타소득, 배당소득, 이자소득, 연금소득
퇴직소득, 양도소득에 대한 원천세와 소득세에 대해 알고 싶다면
이 파트를 읽어라.

앞에서
3.3%세금만 떼는 알바는 연말정산을 하지않고
대신 5월에 종합소득세신고를 한다.
또 원천세 6.6%를 떼는 일용직들은
원천세를 뗌으로서 모든 세금의무가 끝나므로
연말정산을 하지 않는다.
이런 말을 했었다.

이게 무슨 말일까?

자 생각해보자.
돈을 벌면 세금을 내야한다.

우리가 버는 소득은 8가지라고 했다.

근로소득, 사업소득, 기타소득, 배당소득, 이자소득, 연금소득,

양도소득, 퇴직소득이다.

이중에

근로소득, 사업소득, 기타소득, 배당소득, 이자소득, 연금소득은

같이 합쳐서 5월에 낸다.

이게 종합소득세이다.

양도소득과 퇴직소득은 종합소득세에 합치지 않고 둘다 따로 세금을 낸다.

그래서 종합소득세랑 따로 분류되었다고 분류과세라고 한다.

분류과세의 의의는 무얼까?

왜 분류과세할까?? 헷갈리게

몽땅다같이 종합과세 하면 되지 않냐고 할수 있다.

퇴직소득과 양도소득은 금액이 크다.

퇴직소득은 직장을 퇴직했을 때 받는 소득이고 양도소득은 부동산을 매매했을 때 그 차익에 대한 소득이다. 그래서 그 액수가 보통 크기 때문에 종합과세하지 않고 따로 세금을 매기는 것이다.(과세한다)

종합과세와 같이 세금을 부과하면 세금이 엄청 많아지기 때문에 그렇게 안해주는 것이다. 이런건 나라에 고맙다고 해야하나..

자 종합소득세 과세표를 보자.

내가 [1분만에 계산하는 삼쩜삼(33)세금(알바세금과 4대보험)]이라는 책을 재작년쯤 출판냈는데 또 종합소득세 과세구간과 누진공제액(빼주는 금액) 이 그 때와 다르게 조금 바뀌었다.

세금에 관한정책은 이렇게 수시로 바뀌기 때문에(특히 부동산세금 쪽이 자주 바뀐다.) 우리는 눈과 귀를 곤추세우고 눈뜨고 코베이는 일이 없도록 해야한다.

과세표준	세율	누진공제
1,400만원이하	6%	없음
1,400만원초과~5,000만원이하	15%	126만원
5,000만원초과~8,800만원이하	24%	576만원
8,800만원초과~1억5,000만원이하	35%	1,544만원
1억5,000만원초과~3억원이하	38%	1,994만원
3억원초과~5억원이하	40%	2,594만원
5억원초과~10억원이하	42%	3,594만원
10억원초과	45%	6,594만원

위에 표에서 보면 1.400만원 이하는 세금이 6%인데

1,400만원 초과하면 15%로 두배가 넘게 뛰어버린다.

그리고 5,000만원이 넘으면 24%를 내야한다.

이렇게 세율이 급격하게 오르므로

분류과세라고 되어있는 양도소득과 퇴직소득까지

종합소득세에 합쳐버리면 세금을 너무 많이 내야할수 있는 것이다.

(2)종합소득세의 수입금액, 소득금액, 과세표준

자 위의 종합소득세 세율표를 다시 보자.

과세표준	세율	누진공제
1,400만원이하	6%	없음
1,400만원초과~5,000만원이하	15%	126만원
5,000만원초과~8,800만원이하	24%	576만원
8,800만원초과~1억5,000만원이하	35%	1,544만원
1억5,000만원초과~3억원이하	38%	1,994만원
3억원초과~5억원이하	40%	2,594만원
5억원초과~10억원이하	42%	3,594만원
10억원초과	45%	6,594만원

여기에서 우리는 표에 있는 과세표준에 대해
확실히 짚고 넘어가야 한다.
돈을 벌어 소득이 생기면
그게 바로 과세표준액이 되는게 아니다.

돈을 번건 수입금액이다.
수입금액에서 필요경비들을 빼준게 소득금액이다.

소득금액에서 소득공제를 빼준게 바로 과세표준인 것이다.

자 예를 들어보자.

작년에 번돈을 다 합하니(근로소득,사업소득,기타소득,이자소득,배당소득,연금소득다 합쳐서) 1억이다.

그럼 1억에다 바로 종합소득세 세율을 곱할까??

그럼 그 1억이 바로 과세표준 금액일까?

맞다고 생각하는 사람? 아니라고 생각하는 사람??

바로 정답은 아니다.

자 여기서 여러분은 수입금액, 소득금액, 과세표준에 대한 정확한 용어를 짚고 넘어갈 필요가 있다.

자 표를 한번 보자.

수입금액	소득금액	과세표준
우리가 흔히 말하는 **번돈**이다.(아무것도 빼지 않은)	소득금액이란 수입금액에서 필요경비를 뺀 금액이다.	소득금액에서 소득공제를 빼준 금액이다.

식으로 쓰면 이런 식이 된다.

수입금액

— 필요경비

=소득금액

— 소득공제

=과세표준

자그럼 수입금액을 보자.

수입금액은 근로소득, 사업소득, 기타소득, 이자소득, 배당소득, 연금소득 다 각각의 수입금액이 있다. 각각의 수입금액에서 각각의 필요경비를 빼준후 더하는 것이다. 더한 금액이 소득금액이다.

각각의 필요경비가 다 똑같은 액수면 좋겠지만

각각 다 다르다.

근로소득은 근로소득공제액를 빼주고

사업소득은 필요경비를 빼주고

기타소득은 필요경비를 빼주고

배당소득과 이자소득은 안 빼주고

연금소득은 연금소득공제액를 빼준다.

근로소득공제금액 표를 보자.

총급여액(1년간 총급여액)	근로소득공제금액
500만원이하	총급여액×70%
500만원초과~1,500만원이하	350만원+ (총급여-500만원)×40%
1,500만원초과~4,500만원이하	750만원+ (총급여-1,500만원)×15%
4,500만원초과~1억원이하	1,200만원+ (총급여-4,500만원)×5%
1억원초과	1,475만원+ (총급여-1억)×2%

자 이번엔 연금소득공제금액표를 보자.

총연금(1년간의 총연금)	공제액
350만원이하	총연금액
350만원초과~700만원이하	350만원+ (총연금액-350만원)×40%
700만원초과~1,400만원이하	490만원+ (총연금액-700만원)×20%

1,400만원초과	630만원+ (총연금액-1,400만원)×10%

자 그럼 사업소득과 기타소득의 필요경비는 어떻게 책정될까??

기타소득의 필요경비는 보통 수입금액의 60%로해서 빼준다.
사업소득의 필요경비에는 기타소득처럼 몇%있는 것이 아니라 아주 여러 가지 종류가 있다. 사업을 해본 사람들은 알 것이다.

돈을 벌면 중요한게 나가는 돈이다.
사업을 하면 부가가치세를 내고 종합소득세(사업소득세를 종합소득세와 거의 같게보므로 사업소득세대신 종합소득세라는 말을 쓰겠다. 엄밀히 말하면 종합소득세란 근로소득,사업소득,기타소득,이자소득,배당소득,연금소득을 다 합쳐서 내는 것이다.)를 낸다.

사업을 하면 종합소득세뿐만 아니라 부가가치세도 내야한다.
부가가치세 계산법은 매출세액에서 매입세액을 빼는 것이다.
매출이 만원이다. 매출세액은 10%이므로 1000원이다.
매입액은 5천원이라고 하자. 매입세액은 10%이므로 500원이다.
그럼 부가가치세는
1000원-500원=500원이다.

부가가치세에서 중요한건 매입세액이다.

매입세액을 빼주는데 많이 빼면 세금이 적게 나오는 것이다.

종합소득세도 마찬가지다.

과세표준액까지 가는데 수입금액에서 필요경비를 빼고 그러면 소득금액이 된다. 거기서 또 소득공제액을 빼준다. 그러면 비로소 과세표준액이 된다.

거기에 종합소득세세율을 곱하는 것이다.

그럼 필요경비가 많으면 좋다.

많이 빼줄수록 소득금액이 적어지고 그러면 과세표준도 적어지고 그러면 세금이 적게 나온다.

사업하는 사람들이 그런말 하는 걸 많이 들어봤을 것이다.

경비처리해~

작년 한해동안 사업을 했다.

올해 종합소득세 신고를 하려고 하니 필요경비를 책정해야한다.

작년한해 쓴돈의 증빙(세금계산서,현금영수증,신용카드사용액등)을 다 살펴본다.

하지만 모든 지출액이 필요경비로 책정되지 않는다.

또 모든 필요경비가 부가가치세의 매입세액이 되지 않는다.

부가가치세를 배운 사람들은 알 것이다.

불공, 불공제되는 매입세액이라고..

필요경비들중 부가가치세 매입세액에 포함되지 않는 것들이 있는 것이다.

자 필요경비를 한번 살펴보자.

외우려고 하지는 말고 아 이런것들이 있구나 정도로 알면된다.

> *필요경비로 인정되는 것들
>
> -판매한 상품 또는 제품의 매입과 그 부대비용
>
> -상품 또는 제품의 보관료,포장비,운반비,판매장려금 및 판매 수당등
>
> -종업원 급여
>
> -사업용 자산의 수선비,유지비,임차료,손해보험료
>
> -사업과 관련이 있는 제세공과금
>
> -건설근로자퇴직공제회에 납부한 공제부금
>
> -근로자 퇴직급여 보장법에 따라 부담하는 부담금
>
> -4대보험 사용자 부담 보험료 및 본인의 보험료
>
> -이자비용
>
> -사업용 고정자산의 감가상각비
>
> -대손금
>
> -거래수량 또는 거래금액에 따라 지급하는 판매장려금
>
> -매입한 상품,제품등의 재해로 인해 멸실된 것의 원가

-종업원을 위해 지출한 직장 체육비,직장문화비, 가족계획사
업지원비,직원회식비
-업무와 관련이 있는 해외시찰 및 훈련비
-광고선전을 목적으로 견본품,달력,수첩,컵,부채 기타 이외 유
사한 물품을 불특정 다수인에게 기증하기 위해 지출한 비용
-위 경비와 유사한 성질의 것으로 해당 총수입금애게 대응하
는 경비등

그럼 필요경비로 인정안되는것들도 알아볼까!

*필요경비로 인정안되는 것들
-소득세, 개인지방소득세
-벌금 및 과태료
-가산금 체납처분비
-가사와 관련된 지출
-부가가치세 매입세액
-채권자가 불분명한 차입금의 이자
-법령에 따라 의무적으로 납부하는 것이 아닌 공과금
-업무와 직접적인 관련이 없는 지출액
-업무와 관련하여 고의 또는 중대한 과실로 타인의 권리를
침해한 경우 지급되는 손해배상금등

여러분이 세금을 어렵게 여기고 종합소득세도 어렵게 여기는 이유
가 숲을 배우지않고 나무부터 배우기 때문이다.

그러면 어떻게 될까?

그 숲에서 길을 잃고 헤맨다.

(3)종합소득세와 분류과세, 분리과세

앞에서 말했듯 종합소득세와 분류과세 두가지만 있을까?
어려운 세금공부를 하는 데 이것만 있으면 되겠는가!
그럼 세금의 위신이 안선다.

자 종합소득세, 분류과세외에 또 하나가 더 있다.
바로 분리과세다.

분류, 분리 헷갈리지만
또 비슷하게 보이기도 하지만
엄청나게 다르니 똑똑히 기억하기 바란다.

분류과세란 8가지의 모든 소득(근로소득, 사업소득, 기타소득, 이자
소득, 배당소득, 연금소득, 퇴직소득, 양도소득)중에서
퇴직소득과 양도소득만 분류해서 과세하는 거라고 했다.

분리과세란 종합소득세에서 분리해서 과세한다는 말이다.
자 종합소득세는 위에서 보듯이
근로소득, 사업소득, 기타소득, 이자소득, 배당소득, 연금소득이 있
다고 했다.

어떨 때 분리해서 내도 되는 것일까??

분리과세를 하는 경우는 **사업소득,근로소득,기타소득,이자소득,배당소득,연금소득중**에 다 있다.

근로소득세를 원천징수하고 프리랜서 사업소득(일명 3.3세금)을 원천징수하지만 이건 분리과세가 아니다. 이럴 때 떼는 원천세는 예납적원천세라고 한다. 왜냐면 근로소득은 연말정산으로, 프리랜서 사업소득은 종합소득세신고로 한번더 세금을 신고하기 때문이다.

원천세에는 예납적원천세와 완납적원천세가 있다.
예납적원천세는 원천세를 낸뒤 연말정산이나, 종합소득세신고로 한번더 세금을 신고해야한다는 것이고, 완납적원천세는 한번내면 끝이라는 것이다.

분리과세는 완납적원천세의 성격이 강하다.
이걸로 세금신고가 끝나기 때문에 **연말정산이나 종합소득세신고**를 하지 않아도 되는 것이다. 그리고 분리과세시에는 **종합소득세 세율**을 적용하는 것이 아니라 원천세라고 **다른 세율**을 적용한다. 이 세율을 적용해서 세금을 내면 종합소득세 신고할 때 합산해서 하지 않아도 되는 것이다.

자 어떨 때 분리과세하는지 한번 볼까?

사업소득중에서는 언제 분리과세를 할까?

사업소득중에는 거의 대부분은 종합과세를 하지만

주택임대사업자는 분리과세를 할수 있다.

임대사업자에는 일반임대사업자(상가등 상업적건물임대),

주택임대사업자(주택임대)가 있는데

일반임대사업자는 종합과세를 해야하지만

주택임대사업자는 수입금액이 **연 2000만원이하면**

분리과세와 종합과세를 선택하여 할수 있다.

근로소득중에서는 언제 분리과세를 할까?

근로소득은 원래 예납적원천세를 걷고

연말정산으로 한번더 신고해서 환급받거나 더내거나 한다.

이렇게 하는 근로자는 모두 상용근로자들이다.

(4대보험이 적용되고 9시부터 6까지 근무하는 근로자들)

반면 근로자중에 일용직근로자들은 완납적원천세를 걷고

분리과세한다. 그걸로 세금신고가 끝나는 것이다.

일용직 근로자는 4대보험이 적용되고 연말정산을 하는 상용근로자

가 아니다.4대보험도 조건에 맞아야 들수 있다.

일용직근로자의 경우 1개월미만 근로시에는 고용보험과 산재보험을 들어야한다.

1개월이상&8일이상,

1개월이상&60시간이상근무시에는

고용보험,산재보험,건강보험,국민연금을 다 들어야한다.

여기에 최근 소득조건이 추가되어

월소득 220만원이상일때는

국민연금을 꼭 들어야한다.

월소득220만원이상이고 1개월미만인 경우에는 건강보험을 빼고 고용보험,산재보험,국민연금을 꼭 들어야하는 것이다.

일용직근로자는 연말정산도 하지않고, 종합소득세신고도 하지 않아도된다. 급여가 지급되는 시기에 원천세금만 떼고 지급되며 이걸로 세금신고는 다 한게 된다.

일용직근로자의 원천세금 계산식은 아래와같다.

[일급(비과세소득제외)-15만원] × 6% × [1-55%(근로소득세액공제)]

일용직근로자의 원천세금은 세율이 6%로 단일하며

(종합소득세율은 6%에서 45%까지 나눠지는 것에 비해)

근로소득세액공제 외의 다른 소득·세액공제는 없다.

그리고 저 식을 자세히 보면 하루일당이 15만원 이하이 경우에는 15만원을 빼면 마이너스나 0이 되므로 낼 세금이 없다.

기타소득에서는 언제 분리과세를 할까?

소득금액이 300만원이하일 경우 분리과세를 한다.

그리고 300만원초과되는 경우에는 초과분만 종합소득세신고를 하는 것이 아니라 전액을 종합소득세신고를 한다.

이때 분리과세를 해도 되고 종합과세를 해도 되는데

보통 종합과세보다는 분리과세하는 편이 세금이 작으므로

분리과세를 많이 한다.

여기서 또 중요시 볼 건 **소득금액**이라는 말이다.

앞에서 **소득금액과 수입금액, 과세표준금액**이 다르다고 말했었다.

아무것도 안 뺀 금액인 맨 처음 금액이 수입금액이고 필요경비를 빼준게 소득금액이고, 소득금액에서 소득공제를 해준 금액이 과세표준금액이라고 말했었다.

소득금액이 300만원 이하라고 했으니 우리는 수입금액을 구해야한다. 소득금액은 수입금액에서 필요경비(수입금액×필요경비율)를 뺀 금액이다.

그럼 식은 이렇다.

수입금액-(수입금액×필요경비율)=3,000,000

그런데 보통 기타소득의 필요경비율는 60%가 많다.

그럼 필요경비율을 60%로 해서 계산해보겠다.

수입금액-(수입금액×60%)=3,000,000

자 수입금액을 미지의 수 X를 사용해 구해보겠다.

자 이제 여러분은 중,고등학교때 갈고닦은 수학실력을

마음껏 발휘해 보기 바란다.

$X-(X×60\%)=3,000,000$

자 60%를 0.6으로 바꾸자

$X-0.6X=3,000,000$

괄호를 사용해 X를 하나만 남겨보자

$X(1-0.6)=3,000,000$

이 과정이 이해되는가?

그럼 당신은 중,고등학교때 수포자는 아니었던걸로 이해하겠다.

여기까지 식을 만들어 놓으면 이제 X는 구하기 쉬워진다.

$X=3,000,000÷(1-0.6)$

$X=3,000,000÷0.4$

$X=7,500,000$

750만원이 나왔다.

그럼 소득금액이 300만원이하라는 말은

수입금액이 750만원이하일때는

분리과세해도 된다는 말이된다.

그럼 기타소득을 분리과세해서 줄때 원천세금 구하는 식을 보자.

{수입금액-(수입금액×필요경비율)}×세율(기타소득 원천세세율은 20%)

그런데 기타소득을 지급할 때 8.8%세금을 떼고 줄때가 많다.

기타소득에는 종류가 무지하게 많다.

근로소득,사업소득,이자소득,배당소득,연금소득,양도소득,퇴직소득을

뺀 모든 잡다한 소득들이 기타소득이라고 생각하면 된다.

(복권당첨금,저작권료등등..)

그중에 대표적으로 강의했을 때 받는 강의료가 있고, 네이버 애드

포스트 수익은 기타소득이라고 한다. 또 전자책을 판매할 경우

3.3%를 떼는 사업소득일경우도 있는데, 8.8%를 떼는 기타소득인

경우도 있다.

어떻게해서 8.8%가 나오는지 한번 알아보자.

위의 식에서 필요경비율은 보통 60%다.

그리고 세율은 20%데 지방소득세2%까지 합하면 22%가 된다.

자 식에 넣어보자

{수입금액-(수입금액×60%)}×22%(지방소득세까지 합쳐서)

{수입금액-(수입금액×60%)}을 이렇게 고쳐보겠다.

수입금액×(1-60%)

수입금액으로 묶어서 결합법칙을 사용한 것이다.

이걸 식에다 넣으면

수입금액×(1-60%)×22%

이고 이걸 풀면

수입금액×(1-60%)×22%

=수입금액×40%×22%

40%와 22%를 각각 0.4와 0.22로 바꿔서 계산하자

=수입금액×0.4×0.22

=수입금액×0.088

이 나온다.

여기서 0.088을 %(퍼센트)로 고치면 8.8%가 된다.

그래서 보통 기타소득의 원천소득세를 8.8%떼고 준다고 하는 것이다.

다음 이자소득과 배당소득은 언제 분리과세를 할까?

이자소득과 배당소득은

이자소득과 배당소득을 합친 수입금액이

2천만원이하일때는 분리과세를 한다.

2천만원초과일때는 종합과세할 때 같이 해야하는 것이다.

전액을 하는 것이 아니고 2천만원 초과분만 한다.(기타소득은 소득

금액300만원초과일 때 전액을 한다.)

여기서는 수입금액이라고 하였다.

수입금액과 소득금액의 차이를 앞에서 설명했다.

수입금액은 아무것도 빼지않은 처음의 번돈이다.

그런데 이자소득과 배당소득의 수입액과 소득금액은 같다고 해

도 무방하다. **빼주는 필요경비같은 금액이 없기 때문이다.**

그럼 분리과세할 때 원천세금은 어떻게 계산할까?

이때의 원천소득세율은 14%다.

지방소득세 1.4%(지방소득세는 항상 소득세의 10%다)까지

합하면 15.4%가 된다.

2000만원이하의 이자소득과 배당소득을 합친 금액이 있었다면

거기다 15.4%를 곱한금액을 **빼고** 받게 된다.

연금소득은 언제 분리과세를 할까?

공적연금은 분리과세를 안하고

사적연금만 하는데

수입금액이 1200만원이하일 경우 분리과세를 한다.

이때 분리과세를 해도되고

종합소득세신고때 같이 합쳐서 해도된다.

1200만원 초과일 겨우에는 종합소득세신고때 하는데 초과분이 아닌 전액을 한다.(이자소득,배당소득의 초과분계산은 초과분만 했다. 기타소득도 소득금액300만원초과일 때 전액을 한다.)

정리하면 기타소득은 300만원초과일 경우 전액을 종합과세하고

연금소득도 사적연금 1200만원초과일 때 전액을 종합과세하는데

이자소득과 배당소득은 합쳐서 2000만원초과일 때 초과분만 종합과세한다.

자 그럼 연금소득을 분리과세할때의 원천세를 구해보자.

원천세율은 연령별로 나뉘는데

70세미만은 5%

70세이상 80세미만은 4%

80세이상은 3%다.

여기에 지방소득세 10%를 더하면

70세미만은 5.5%

70세이상 80세미만은 4.4%

80세이상은 3.3%다.

자 이제 분리과세에 대해 잘 알았을 것이다.

(4) 종합소득세 신고/납부를 안해도 되는 경우

자 종합소득세와 소득세을 공부한김에

마지막으로 힘을 내어

이거만 더 공부하자.

연말정산부터 공부하고 싶다면 연말정산부터 공부하고

시간될 때 소득세부분을 스윽 읽어봐도 된다.

공부는 절대 어렵고 힘들게 하면 안된다.

아직 연말정산의 연자도 시작을 못했는데

다른 공부가 더 많은거 같아 힘들 것이다.

하지만 소득세는 우리모두가 반드시 알아야할것들이니

꼭 공부하기 바란다.

분류과세, 분리과세말고 종합소득세를

신고/납부안해도 되는 경우가 있을까?

앞에 내용들을 생각하면서 한번 정리해보자.

① 근로소득만 있는 사람이 연말정산을 한 경우

앞에서 종합소득세 신고는 근로소득,사업소득,기타소득,이자소득,배당소득,연금소득을 모두 합쳐서 계산한다고 하였다.

그런데 근로소득만 있는 사람이 연말정산을 한 경우는 종합소득세

신고 안해도 된단다.

<u>②직전과세기간의 수입금액이 7,500만원 미만이고, 다른 소득이</u>
<u>없는 보험모집인, 방문판매원 및 계약배달판매원의 사업소득으로서</u>
<u>소속 회사에서 연말정산을 한 경우</u>
이 두 번째 사항에도 꼭 알아야될 사항들이 많다.
눈을 크게 뜨고 따라와주길 바란다.

자 직전과세기간의 수입금액이 7,500만원 미만이다.
직전과세기간은 작년을 의미하고 수입금액이란 아무것도 빼지 않
은 총수익되겠다.
다른 소득이 없는 보험모집인,방문판매원,계약배달판매원등의 사업
소득으로 소속회사에서 연말정산을 한 경우다.

여러분이 잘 아는 야쿠르트 아줌마가 근로소득을 받는 근로자가
아니고 사업소득을 받는 사업자란 의미다. 근데 다른 사업자처럼
5월에 종합소득세 신고를 하지 않고 연말정산을 함으로써 소득신
고를 마치는 경우다.
이분들도 프리랜서 사업자인 것이다.
그래서 4대보험 적용도 안되고 퇴직금도 없다고 한다.

자 이제 3번째 경우를 보자.

③퇴직소득과 연말정산대상 사업소득만 있는 경우

퇴직소득은 앞에서도 얘기했듯이 양도소득과 함께 분류과세되서 원래도 종합소득세에 같이 계산하지 않는다. 퇴직소득과 연말정산 대상되는 사업소득(②번의 경우 참조)만 있는 경우도 종합소득세 신고/납부를 안해도 된다.

자 이제 4번째 경우를 보자.

④비과세 또는 분리과세되는 소득만 있는 경우

비과세는 과세를 하지 않는다는 의미니 당연히 종합소득세 신고/납부를 할 필요가 없는거고, 분리과세되는 소득만 있는 경우 앞에서도 봤듯이 당연히 종합소득세신고를 안한다고 하였다.

⑤연 300만원 이하인 기타소득이 있는 자로서 분리과세를 원하는 경우

앞에서 분리과세를 설명하면서 기타소득의 분리과세를 설명할 때 모두 얘기했으므로 더 설명을 안해도 될 것이다.

3.연말정산의 구조

(1)연말정산의 구조

앞에서 연말정산과 종합소득세 비교를 하면서

잠깐 구조를 살펴봤다.

여기서 다시한번더 보자.

연말정산 계산과정만 보도록 하겠다.

연말정산 계산과정
1년총급여
-근로소득공제
=소득금액
-근로자소득공제
=과세표준
×세율(종합소득세세율)(-누진공제)
=산출세액
-세액공제
=납부세액
-기납부세액
=최종납부세액

자 우리는 여기서 파란글씨로 된

빼주는 금액을 집중해서 볼 필요가 있다.

여러분이 매년 연말정산을 위해 1월 20일경부터

홈택스에서 자료를 다운받는

연말정산간소화 자료가 여기에 적용되기 때문이다.

맨 처음 파란글씨인 근로소득공제금액은 정해진 금액이므로

이건 연말정산간소화 자료와 상관이 없다.

*근로소득공제금액표

총급여액(1년간 총급여액)	근로소득공제금액
500만원이하	총급여액×70%
500만원초과~1,500만원이하	350만원+ (총급여-500만원)×40%
1,500만원초과~4,500만원이하	750만원+ (총급여-1,500만원)×15%
4,500만원초과~1억원이하	1,200만원+ (총급여-4,500만원)×5%
1억원초과	1,475만원+ (총급여-1억)×2%

그 밑의 파란글씨인

근로자소득공제와 세액공제가

여러분이 제출하는 연말정산간소화 자료와 관련이 있다.

자 먼저 위의 표의 근로자소득공제와 근로자세액공제를 보자.

근로자 소득공제
-인적공제 -국민연금 -건강보험 -신용카드사용액등

근로자 세액공제
-기부금 -의료비 -교육비 -보험료(사적)

여기 있는 항목들은 여러분들이 많이 알고 있는

대표적인 항목들이고 아주 많은 다른 항목들이 있으니

다음 장에서 근로자 소득공제와

근로자 세액공제에 대해 더 속속들이 파헤처보도록 하겠다.

(2)연말정산의 근로자 소득공제

자 먼저 위의 표의 근로자소득공제를 다시보자.

근로자 소득공제
-인적공제 -국민연금 -건강보험 -신용카드사용액등

이건 내가 대표적인 근로자소득공제내역만 적은 것이고
회계프로그램에서 연말정산을 할때는 더 세세한 항목들이
더 많다.

물론 저 정도만 대충 알아도
어느항목이 어디에서 공제되는지 알수 있지만,
연말정산간소화자료에서 그 항목들이
연말정산에서 어디에 해당하는지 알려면
자세한 항목들을 알 필요가 있다.

분류와 항목들이 많으니 **정신단디** 붙잡고 따라와 주기 바란다.

근로자소득공제엔 크게

종합소득공제와 그밖의 소득공제가 있다.

표로 한번 살펴보겠다.

근로자 소득공제	종합 소득공제	기본공제	본인	
			배우자	
			부양가족	
		추가공제	경로우대	
			장애인	
			부녀자	
			한부모가족	
		연금보험 공제	국민연금보험료	
			공적연금 보험공제	공무원연금
				군인연금
				사립학교 교직원
				별정우체

				국연금
		특별 소득공제	보험료	건강보험료
				고용보험료
			주택차입금원리금상환액	대출기관
				거주자
			장기주택저당차입금이자상환액	
			기부금-2013년이전이월분	
	그밖의 소득공제	개인연금저축		
		소기업,소상공인 공제부금	2015년이전가입	
			2016년이후가입	
		주택마련 저축소득 공제	청약저축	
			주택청약	
			근로자주택마련	

		투자조합출자등 소득공제
		신용카드등사용액
		우리사주 조합 출 연금	일반 등
			벤처 등
		고용유지중소기업근로자
		장기집합투자증권저축
		청년형장기집합투자증권저축

자 이게 근로자소득공제에 해당하는 항목들이다.
세액공제에도 이만큼이 더 있다.

여러분은 매년 1월 말즈음
회사에서
연말정산 간소화 자료 뽑아서 제출하세요한다.
TV나 매스컴, 인터넷에선
연말정산에서 공제 더받는 방법,
환급을 더받는 방법을 이야기한다.

근데 뭐가 뭔지 똥인지 된장인지 알아야
공제를 더 받던 환급을 더 받던 할거 아닌가

홈택스에서 연말정산 간소화 자료를 뽑아서 냈지만
이게 맞는지
이게 다인지
혹 세금을 더 토해내야하는건 아닌지
자료를 다 제출한건지
덜 제출한건 아닌지
누구는 환급을 많이 받았다는데
왜 나는 더 세금을 내야하는지...

이 모든 원인이
연말정산의 구조를 모르고
저 근로자소득공제내용과
다음에 나올 세액공제 내용을 잘 몰라서이다.
저 항목들만 잘 알고 있으면
스스로 자료들을 찾아서 제출할수 있게 되는 것이다.

아니 막말로 학교를
초등학교 6년
중학교 3년
고등학교 3년
도합 12년을 다니며 공부를 했는데
저 표를 한번이라도 본적이 있는가???
개탄스럽기 그지 없다.

나도 40대 후반 50이 다되어가는 나이에
이제 겨우 알았으니 말이다.

연말정산에 관한 건
스무살이 되기전에 꼭 알아야한다.

왜냐고???

스무살이 지나고 나면
이제 취업도 하고 직장도 다니고
많든 적든 경제활동을 하기 때문이다.
물론 스무살후에 대학을 가기도 하지만..

우리가 힘들게 번 소득에 대한 소득세에 대한 공부를
학창시절 정말 한번이라고 한 적 있는가???
왜 등한시하고 학교는 물론 누구도 가르쳐주지 않는가???

지금 우리는
학문을 숭상하고 경제활동을 천시여기던
조선시대를 벗어났다고 생각하지만
아직도 돈에 대한 것, 돈을 버는 것에 대한 것
그 돈에 대한 세금에 관한 것들은
여전히 속물이라고 여기며 폄하한다.

자 사설이 길었다.

표를 다시 파악해보자.

근로자 소득공제는 종합소득공제와 그 밖의 소득공제로 나뉜다고
했다.

나눠서 자세히 살펴보도록 하겠다.

①종합소득공제

앞의 표에서 보듯이 종합소득공제에는

기본공제

추가공제

연금보험공제

특별소득공제

가 있다.

앞의 표에서 종합소득공제 부분을 다시한번 봐보자.

근로자 소득공제	종합 소득공제	기본공제	본인	
			배우자	
			부양가족	
		추가공제	경로우대	
			장애인	
			부녀자	
			한부모가족	
		연금보험 공제	국민연금보험료	
			공적연금 보험공제	공무원연 금

				군인연금
				사립학교 교직원
				별정우체 국연금
		특별 소득공제	보험료	건강보험 료
				고용보험 료
			주택차입 금원리금 상환액	대출기관
				거주자
			장기주택저당차입금이 자상환액	
			기부금-2013년이전이 월분	

㉑ 기본공제

기본공제부터 한번 탈탈 털어보자.

표로 한번 살펴보자.

기본공제		
본인	배우자	부양가족
공제액 :150만원	공제액 :150만원	공제액 :150만원

기본공제는 150만원으로 공제액이 크다.

기본공제 대상은 누굴까?

먼저 자기자신이 된다.

또 배우자도 된다.

결혼을 못하면 결혼못한것도 서러운데

배우자공제를 못받으니 더 서럽다.

근데 배우자는 무조건 될까?

아니다.

만약 배우자가 직장을 다녀서 소득이 있으면 안된다.

자 여기서 기본공제에서 중요한 **소득요건**을 보자.

소득요건은 많이 어렵다.

그래도 잘 따라와 주기 바란다.

연간소득금액 100만원이하일때와

근로소득만 있을 경우 총급여 500만원이하까지는

기본공제가 된다.

연간소득금액 100만원은 어떻게 책정되는 걸까?

내가 이 책의 처음에 소득의 종류에 대해 말했을 것이다.

모두 8가지가 있다고 했다.

근로 소득	사업 소득	기타 소득	이자 소득	배당 소득	연금 소득	퇴직 소득	양도 소득
근로 소득 세	사업 소득 세	기타 소득 세	이자 소득 세	배당 소득 세	연금 소득 세	퇴직 소득 세	양도 소득 세

이 모든 소득을 합쳐서 연간소득금액100만원이 넘으면

인적공제가 안된다고 생각하면 된다.

주의할건 **연간소득금액**을 계산할땐

저 8가지 소득을 모두 합한다는 것이고

종합소득세를 계산할땐

퇴직소득과 양도소득을 뺀 여섯가지소득만 합친다는 점이 다르다.

자 여기에서 주의해서 볼 말은 **소득금액**이란 말이다.
내가 앞에서도 얘기했듯이 소득금액이 번돈의 모두가 아니라고 했
다. 번돈의 총액수는(아무것도 안 뺀) **수입급액**이라고 한다.
수입금액에서 필요경비,근로소득공제금액,연금소득공제금액등등을
뺀게 **소득금액**인 것이다.

그러니 소득금액은
근로소득세에서 근로소득공제를 뺀 금액이고
사업소득에서 필요경비를 뺀 금액이고
기타소득에서 필요경비를 뺀 금액이고
이자소득에서 아무것도 안 뺀 금액이고
배당소득에서 아무것도 안 뺀 금액이고
(이자소득과 배당소득은 별도로 빼주는 필요경비같은게 없다.)
연금소득에서는 연금소득공제를 뺀 금액이고
퇴직소득에는 비과세소득을 뺀 금액이고
양도소득에서는 필요경비와 장기보유특별공제(250만원)을 뺀 금액
이다.

각각 빼준 금액들이 100만원이 초과해도 안되는거고(100만원까지
는 된다는말)

다 빼준후 합쳐서 100만원이 초과해도 안되는 것이다.(100만원까지는 된다는말)

그럼 수입금액이 어느만큼 되어야 필요경비나 공제금액을 뺏을 때 100만원이 되는지 한번 보자.

근로소득에서는 총수입금액(총급여액)이 333만원일 때 근로소득공제 233만원을 빼면 소득금액이 100만원이 된다.(아래의 근로소득공제표 참조)

그리고 근로소득만 있는 경우 총급여500만원까지는 남편이 인적공제를 받을 수 있다.

*근로소득공제표

총급여액(1년간 총급여액)	근로소득공제금액
500만원이하	총급여액×70%
500만원초과~1,500만원이하	350만원+ (총급여-500만원)×40%
1,500만원초과~4,500만원이하	750만원+ (총급여-1,500만원)×15%
4,500만원초과~1억이하	1,200만원+ (총급여-4,500만원)×5%
1억초과	1,475만원+ (총급여-1억)×2%

사업소득에서는 필요경비를 차감후

소득금액이 100만원이 되는 금액이다.

만약 내가 전자책을 팔아서 수익이 있다면 프리랜서 사업소득이기

때문에 프리랜서 사업소득(3.3%세금떼는)의 경우 보통 필요경비를

60%정도적용하니까 계산하면 수입금액은 250만원정도가 된다.

식으로 표현하면 이렇게 된다.

60%는 0.6으로 계산하면 된다.

2,500,000─(2,500,000×60%)=1,000,000

기타소득에서도 필요경비를 빼고 소득금액이 100만원이 될 때이

다. 기타소득의 필요경비는 60%일때가 많은데 필요경비를 60%로

잡고 계산하면 총수입금액은 250만원정도가 된다.

식으로 표현하면 이렇게 된다.

60%는 0.6으로 계산하면 된다.

2,500,000─(2,500,000×60%)=1,000,000

이렇게 계산하면 기타소득의 경우

총수입급액이 250만원이하여야하지만

기타소득의 경우 300만원이하는

분리과세를 선택할 수 있기 때문에 분리과세를 할 경우

소득금액에 합치지 않는다.

여기서도 소득금액이다. 그럼 수입금액은 계산해보면 750만원이다.

이자소득,배당소득은 빼주는 필요경비나 공제금액이 없으니 그대로 총수입금액100만원이 소득금액100만원이다.

이자소득,배당소득같은 경우 수입금액 2000만원이하까지는 분리과세를 할수 있기 때문에 2000만원이하까지는 분리과세하여 소득금액에서 제외 시킬수 있다.

연금소득은 총수입금액에서 연금소득공제금액(아래의 표 참조)을 뺀 금액이 소득금액100만원인데

공적연금일 경우 총수입금액이 516만원일 때
연금소득공제416만원을 빼면 100만원이 된다.
그래서 공적연금만 있을경우 516만원까지는
인적공제에서 탈락되지 않는다.
사적연금일 경우 1200만원이하는 분리과세가 되므로 분리과세를 선택해서 할 경우 소득금액에 합치지 않는다.

*연금소득공제표

총연금(1년간의 총연금)	공제액
350만원이하	총연금액
350만원초과~700만원이하	350만원+ (총연금액-350만원)×40%

700만원초과~1,400만원이하	490만원+ (총연금액-700만원)×20%
1,400만원초과	630만원+ (총연금액-1,400만원)×10%

퇴직소득은 비과세소득제외한 금액이 소득금액이 된다.

양도소득은 총수입금액에서 필요경비와 장기보유특별공제금액(250만원)을 제외한 금액이 소득금액이 된다.

이 소득금액에서 일용근로소득은 제외된다.

자 이제 소득금액 100만원이하여야한다는 내용에 대해서는
잘 알았을 것이다.

본인,배우자까지 봤으니
이제 부양가족을 보자.

부양가족의 경우도 모두 앞의 소득금액을 충족해야한다.
부양가족이 되려면 앞의 소득금액조건이 맞아야한다는 것이다.

한집에 사는 부양가족들은 모두 기본공제가 될까???

될까요???

안될까요??

모두 되면 좋겠지만

세금엔 언제나 조건이 따른다.

나라도 세금을 받아 먹고 살아야하니 너무 선심을 쓰진 않는다는

걸 기억하자.

여기에서 부양가족이란 생계를 같이해야하고(같이 살아야하고)

20세이하 자녀도 된다.(직계비속이라고도 한다.)

자녀의 경우 같이 안살아도 기본공제가 된다.

(외국에 유학을 가있는경우등)

60세이상 부모도 된다.(직계존속이라고도 한다.)

직계존속의 경우 따로살면 원래 기본공제가 안되지만

주거형편상 별거시에는 기본공제가 된다.

그럼 본인의 형제, 자매는 같이 살고 있다면

기본공제가 될까??

같이 살고 나이가 20세이하, 60세 이상이면 된다.

근데 본인의 형제자매면 보통

나이가 20세초과 60세미만이지 않겠는가??^^

그러니 안될가능성 100프로다.

만약 본인의 부모가 아주아주 늦둥이를 낳아서 20세이하

막둥이 동생이 있다면 가능하겠다.

그런데 형제, 자매인데 나이에서 안되는데
기본공제대상자가 되는 경우가 있다.
어떤 경우이겠는가?
사회적 약자하면 떠오르는 사람들 있지 않는가??
맞다.
바로 장애인이다.
장애인일 경우 나이에서 조건이 안되도 기본공제가 된다.
근데 장애인의 경우 나이는 보지 않지만
소득요건은 본다.
연간소득금액 100만원이하여야 기본공제가 된다.

그리고 만18세미만 위탁아동은 6개월 이상 양육시에
자녀장려금대상이라고 기본공제가 된다.
앞의 소득요건은 적용된다.
기초생활대상수급자들은 무조건 기본공제가 된다.
소득요건와 나이요건이 없다.

㉯ 추가공제

자 이제 추가공제를 보자.

추가공제는 기본공제에다 추가공제에 해당하는 사항이 있을 경우 추가로 공제를 더해주는 것이다.

추가공제			
경로우대	장애인	부녀자	한부모가족
공제액 :100만원	공제액 :200만원	공제액 :50만원	공제액 :100만원

경로우대와 장애인공제를 추가로 받으려면
기본공제에 해당이 되는 경우여야한다.

예를들어

경로우대같은 경우 70세이상이 해당되는데

집에 부모님을 모시고 사는데

아버지가 나이가 75세인 경우

60세이상으로 기본공제를 받았는데

70세이상도 되므로 추가로 경로우대공제까지 받을수 있다는 말이다.

그럼 공제액은

150만원＋100만원=250만원이 된다.

장애인공제인 경우도

예를들어 같이 사는 형제,자매가

나이가 20세이하, 60세이상이어야 기본공제를 받는데

장애인은 나이를 안보고 소득만 보므로

장애인이어서 기본공제를 받았다.

그럼 추가공제에도 장애인이 있으니

추가로 또 공제를 받을수 있다는 얘기다.

그럼 공제액은

150만원+200만원=350만원이 된다.

자 이제 부녀자공제와 한부모공제를 보자.

둘은 닮은 듯 하지만 다르다.

가장 큰 차이는

부녀자공제는 배우자가 있는경우와 배우자 없는 경우가 있고

한부모공제는 배우자가 없는 경우뿐이다.

부녀자공제일 때

배우자가 있는 경우엔 종합소득금액 3000만원이하일 경우만

공제를 받을 수 있다.

여기에서의 소득은 종합소득금액이다.

근로소득, 사업소득, 기타소득, 이자소득, 배당소득, 연금소득을 모두 합친 금액이라고 하겠다.

근로소득만 있을 경우는

소득금액이 3000만원이므로 총급여(=수입금액)는 41,470,588원이
된다.

우리는 저 앞에서 소득금액과 수입금액의 차이를 공부했다.

소득금액이란 수입금액에서

소득공제나 필요경비를 뺀금액이다.

(여기에서 수입금액은 총급여와 같은 말이다.)

앞에나왔던 근로소득공제금액표를 다시보면

총급여가 41,470,588원일 때 소득금액이 3000만원이 된다는 걸
알수 있다.

총급여액(1년간 총급여액)	근로소득공제금액
500만원이하	총급여액×70%
500만원초과~1,500만원이하	350만원+ (총급여-500만원)×40%
1,500만원초과~4,500만원이하	750만원+ (총급여-1,500만원)×15%
4,500만원초과~1억원이하	1,200만원+ (총급여-4,500만원)×5%

1억원초과	1,475만원+ (총급여-1억)×2%

부녀자공제에서 배우자가 있을경우는

바로 맞벌이하는 경우를 얘기한다.

맞벌이하는 결혼한 여자의 경우

총급여가 41,470,588원이하일 때 추가공제로

부녀자공제를 더 받을 수 있다는 말이다.

그럼 부녀자공제에서 배우자가 없을 경우를 보자.

위의 소득요건은 똑같이 충족해야하며

조건은 배우자가 없고,

기본공제대상인 부양가족이 있는 있는 **세대주**이다.

이 경우가 한부모가족공제랑 조건이 비슷하다.

한부모공제도

배우자가 없고,

기본공제대상인 직계비속이나 입양자가 있는 경우이다.

하지만, 부녀자공제와 한부모공제의 가장 큰 차이점은

한부모공제는 소득요건이 없고

한부모가 엄마든 아빠든 상관이 없다는 것이다.

만약, 부녀자공제와 한부모가족이 중복될경우는

중복해서 공제를 받을 수는 없으며

보통 한부모가족으로 공제를 받는다.

(공제액이 더 크므로)

㉲ 연금보험공제

자 그다음 연금보험공제를 보자.

연금보험공제에는

국민연금보험료공제와

공적연금보험공제 있다.

또 공적연금보험공제에는

공무원연금, 군인연금, 사립학교교직원, 별정우체국연금이 있다.

연금보험공제에서 공제액은 **전액** 모두가 공제된다.

연금보험공제				
국민연금 보험료	공적연금보험공제			
	공무원 연금	군인연금	사립학교 교직원	별정우체 국 연금
공제액 :전액	공제액 :전액	공제액 :전액	공제액 :전액	공제액 :전액

아 여기 그 유명한 국민연금보험료가 있다.

국민연금은 여러분이 많이 들어봐서 익숙하지 않은가??

대부분 근로자들 급여명세서에 있는 항목이다.

급여명세서에 무슨무슨 항목이 있나

기본급

식대

자가운전보조금

육아수당등의 수당이 있고

이건 우리가 받는 항목이고

국민연금

건강보험

고용보험등의 사회보장보험과

소득세

지방소득세는 우리가 내야하는 공제하는(급여에서 빼는) 항목이다.

연말정산을 할 때 처음에 계산하는 **총급여액**이란

이모두들 합한(공제된 금액까지도 합한) 금액인 것이다.

그래서 연말정산시에 다시 공제받는 항목들을 빼주는 것이다.

예를들어

우리의 한달 급여가 200만원이라고 하자.

여기서 20만원은 공제되는 금액이다.

그럼 실수령액은 180만원이다.

그럼 연말정산시에 1년 총급여액은
200만원 × 12 =2400만원이 된다는 것이다.

이 총급여액에서(이 총급여액이 수입급액이다.)
근로소득공제 빼주고
근로자소득공제 빼주고

이 금액에다 종합소득세세율 곱한 후 누진공제액 빼주고

여기다
세액공제 빼주면 결정세액이 된다.
이게 바로 1년치 소득에 대한 소득세인 것이다.

근데 우리는 한달마다 급여를 받을 때 원천세를 냈다.
(급여명세서에서 소득세, 지방소득세라고 나오는 원천세부분)
이게 기납부세액이다.

결정세액에서 기납부세액을 빼주면
우리가 최종적으로 내야 할 소득세가 나오는 것이다.

이게 연말정산 과정이고
결정세액에서 기납부세액을 뺐을 때 마이너스 금액이 나오면
기납부세액을 더 많이 냈다는 말이므로

환급을 받는다.

반대로
결정세액에서 기납부세액을 뺐을 때 플러스 금액이 나오면
기납부세액을 적게 냈다는 말이므로
우리는 세금을 더내야 하는 것이다.

그럼 건강보험과 고용보험은 언제빼줄까?
연금소득공제 밑에 특별소득공제라고 거기서 빼준다.
건강보험과 고용보험이 왜 특별한지는 모르겠지만...
세법을 공부하다보면 특별어쩌구 저쩌구 하는 항목이
뜬금없이 많이 나오는거 같다.

㉑ 특별소득공제

자 위에서 말한 건강보험과 고용보험항목이 속해있는

특별소득공제이다.

뭐가 특별한건지는 잘모르겠지만..^^;;;

특별소득공제					
보험료		주택차입금원리금 상환액		장기주택저당차입금이자상환액	기부금 -2013 년이전 이월분
건강 보험료 (노인 장기요 양보험 료포함)	고용 보험료	대출 기관	거주자		
공제액 :전액	공제액 :전액	공제액: 원리금(원금+이자) 상환액의 40% (연 400만원 한도로 공제)		밑에서 설명	밑에서 설명

건강보험료, 노인장기요양보험료, 고용보험료는

급여명세서에서 봤던 항목들이다.

모두 전액 공제받을 수 있다.

그 다음 **주택차입금원리금상환액**을 보자.

집을 매매할 때 주택담보대출을 받는 경우 여기에 해당한다.

공제액은 원리금(원금+이자)상환액의 40%로
1년에 400만원 한도로 공제된다.

그다음 **장기주택저당차입금이자상환액**을 보자.
장기주택저당차입금이자상환액은
시기가 언제였는지
상환기간이 얼마지에 따라
1년에 공제받을 수 있는 한도가 달라지니 나눠서 살펴보자.

2011년이전 차입금			2012년이후 차입금		2015년이후 차입금				
상환기간 15년 미만	상황기간 15~29년 미만	상황기간 30년 이상	고정금리or비거치상환	기타대출	상황기간 10~15년 미만	상황기간15년 이상			
						고정or비거치	고정and비거치	고정or비거치	기타대출
공	공	공	공	공	공	공	공	공	공

제한도 600만원	제한도 1,000만원	제한도 1,500만원	제한도 1,500만원	제한도 500만원	제한도 300만원	제한도 1,800만원	제한도 1,500만원	제한도 500만원

기부금-2013년이전 이월분을 보자.
2013년 이전 연말정산에서 이월된
법정기부금, 지정기부금만 해당된다.
2014년 1월 1일이후부터 기부금은
소득공제에서 세액공제로 전환되었다.

자 이렇게 특별소득공제까지
근로자소득공제의 종합소득공제가 다 끝났다.
다음장에서는 **근로자소득공제의 그밖의 소득공제**를
살펴보자.

종합소득공제와 그밖의 소득공제를 나누는 기준을
잘 모르겠지만
그래도 나누어 놓았으니
우리도 나누어서 공부를 하자.

그밖의 소득공제라고해서
별로 중요치않은 소득공제처럼 느껴지지만
그밖의 소득공제에는
연말정산에서 가장 중요한
신용카드 등 사용액이 있다.

근로자가 가장 많이 쓰는 비용이
신용카드 사용액 아니던가!

공부가 어떤가??
그 어렵게 느껴지던 연말정산이
착착 정리가 되는 느낌 아닌가??
개요, 구조만 처음에 잘 잡아놓으면
그 안의 내용들은 그저 가지치기처럼
하나하나 찾아보면 되는 것들이다.

근로자소득공제가 끝나고 나오는
세액공제파트에서도 이런식으로
개요를 잡고 하나하나 찾아가며 공부하면 되는 것이다.

잊지 말아야할건
항상 큰 틀이다.
연말정산의 흐름과 그 개요를 항시 기억하면서
세부적인 내용들을 파악하자.
기억이 잘 안날때는
앞으로 넘겨서 개요들을 다시 확인하면 된다.
그럼 확실하게 각인된다.

② 그밖의 소득공제

앞에서 근로자소득공제의 종합소득공제를 살펴보았다.
이제 그밖의 소득공제를 살펴보자.
왜 종합소득공제와 그밖의 소득공제로 나눴는지
그 이유와 기준은 잘 모르겠지만
나눠져있으니 우리는 그냥 나눠진대로 공부할뿐이다.

앞의 근로자소득공제표에서 그밖의 소득공제부분만
보도록 하자.

근로자소 득공제	그밖의 소득공제	개인연금저축	
		소기업,소 상 공 인 공제부금	2015년이전가입
			2016년이후가입
		주택마련 저축소득 공제	청약저축
			주택청약
			근로자주택마련
		투자조합출자등 소득공제	
		신용카드등사용액	
		우리사주 조합 출 연금	일반 등
			벤처 등

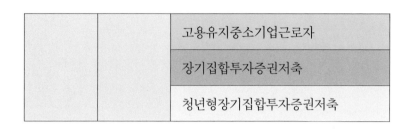

		고용유지중소기업근로자
		장기집합투자증권저축
		청년형장기집합투자증권저축

그밖의 소득공제에는
개인연금저축
소기업,소상공인 공제부금
주택마련저축소득공제
투자조합출자등 소득공제
신용카드등사용액
우리사주조합 출연금
고용유지중소기업근로자
장기집합투자증권저축
청년형장기집합투자증권저축

등이 있다.

아 저기 반가운 신용카드등사용액이 보인다.
연말정산간소화자료에도 있는 것으로
연말정산에서 아주 중요한 것이다.

하나씩 차례대로 살펴보자.

㉮ 개인연금저축

개인연금저축은
소득자 본인명의로 가입한 경우에만 공제된다.
공제액은
저축불입액의 40%를 연간 72만원한도내에서 공제한다.

㉯ 소기업,소상공인 공제부금

소기업 · 소상공인 공제(노란우산공제)에 가입하여 납부하는
공제부금에 대하여 공제해주는 것이다.

연도에 따라 사업소득금액/근로소득금액에 따라 공제금액이
다르니 표를 통해 알아보자.

소기업, 소상공인 공제부금		
15년이전 가입	16년이후 가입	
300만원	사업소득금액/근로소득금액 4,000만원이하	500만원
	사업소득금액/근로소득금액 4,000만원~1억이하	300만원
	사업소득금액/근로소득금액 1억초과	200만원

㉡ 주택마련저축소득공제

우리가 많이 드는 청약금에 대해 공제해주는 항목이다.
주택마련저축소득공제에는
청약저축
주택청약
근로자주택마련이 있다.

주택마련저축소득공제		
청약저축	주택청약	근로자주택마련

공제액을 보자.

공제대상 납입한도	공제금액	공제한도
연간 240만원	당해연도 불입액의 40%	96만원

㉒투자조합출자등 소득공제
투자조합출자등에 관한 소득공제 내용이다.

거주자가 중소기업창업투자조합등에 출자 또는 투자한 경우와
개인이 직접 또는 개인투자조합을 통해 벤처기업 등에
출자또는 투자할때가 있다.

2021년이후 출자/투자분이며
공제한도는 종합소득금액의 50%이다.

자 표를 통해 금액별 공제금액을 보자.

투자조합출자등 소득공제			
거주자가 중소기업창업투자조합 등에 출자 또는 투자할때	개인이 직접 또는 개인투자조합을 통해 벤처기업 등에 출자또는 투자		
	3천만원이할 일때	3천만원초과 ~5천만원 이하일때	5천만원 초과일때
10%	100%	70%	30%

㉙ 신용카드등 사용액

자 이제 소득공제 내용중에서 가장 중요한
신용카드등 사용액을 할 차례다.

기본공제, 추가공제등의 인적공제외에
여러분이 연말정산 하면
제일많이 들어봤고,
연말정산에서 가장많은 영향을 끼치는
신용카드등 사용액이다.

왜냐???
이 금액이 가장 크기 때문이다.

연말정산은 종합소득세신고처럼
소득에서 공제할꺼 빼고
세율을 곱해 세금을 구한다.

근로자의 공제할거 중에
신용카드사용액이 차지하는 비중이 가장 크기 때문이다.

가장 중요한 파트니
눈똑바로 뜨고 따라와주기 바란다.

신용카드등 사용액이라고 했는데
신용카드뿐만 아니라
직불/선불카드
현금영수증까지 포함하므로 등이라는 말을 붙였다.

본인뿐만 아니라
기본공제대상자가 되는 배우자, 자녀, 입양자, 부모님의 신용카드
등 사용액이 모두 포합된다.

신용카드 등 사용금액의 합계액이
최저사용금액(총급여액의 25%)을 초과해야 공제된다.

신용카드, 직불/선불카드, 현금영수증
도서공연등 사용분
(신용카드, 직불/선불카드, 현금영수증사용액이 모두 포함되며
총급여 7천만원 이하인 경우 적용된다.)
전통시장 사용분
대중교통 사용분
에 따라 공제율이 모두 다르므로
표에서 한번 살펴보자.(아래표참조)

공제한도는
총급여 7천만원이하자는 300만원이고
총급여 7천만원초과자는 250만원이다.

신용 카드	직불/ 선불 카드	현금 영수증	도서공 연등 사용분 (신용 카드, 직불/ 선불카 드, 현금영 수증사 용액 모두 포함)	전통 시장 사용분 (신용 카드, 직불/ 선불카 드, 현금영 수증사 용액 모두 포함)	대중 교통 사용분 (신용 카드, 직불/ 선불카 드, 현금영 수증사 용액 모두 포함)
전통시장/대중교통사용분 제외					
15%	30%	30%	30%	40%	40%

ⓗ 우리사주조합 출연금

기업에 대한 당해연도 출연금을 400만원한도로 공제한다.
벤처창업 기업의 경우에는(2018. 1.1. 이후 출자분부터 해당)
1500만원 한도로 공제한다.

㉑ 고용유지중소기업근로자

직전 과세연도의 해당 근로자 연간 임금총액에서
해당 과세연도의 해당 근로자 연간 임금총액을 뺀후
50%를 곱해서 구한다.

ⓐ 장기집합투자증권저축

가입일로부터 10년간 연간 납입액의 40%를 공제한다.
한도는 240만원이다.

㉔ 청년형 장기집합투자증권저축

소득요건은 가입 당시 직전연도 총급여액 5,000만원(종합소득금액 3,800만원)이하여하 한다.

나이요건은 가입당시 만19세부터 만34세이하 청년(병역이행기간 최대 6년 추가 인정)이어야 한다.

소득공제 받는 연도 총급여액 8,000만원
(종합소득금액 6,700만원)이하인 경우
납입액의 40%를
연간 240만원(불입금액기준 600만원)한도 내에서
공제받을 수 있다.

(3)연말정산의 근로자 세액공제

자 우리는 앞에서
연말정산의 근로자 소득공제부분을 살펴보았다.

어렵게만 느껴지고
두렵게만 느껴지던
연말정산이 어느정도 감이 잡히는가???

세액공제 부분도
소득공제처럼 공부하면 된다.
얼마나 쉬운가???

먼저 나무를 그리고
가지를 그리고 잎들을 그리니
끝나버렸지 않은가!
이제 연말정산이 아니라
연말정산할애비가 와도 여러분은 만만하게 볼 것이다.

자 이제 세액공제 부분을 살펴보자.
이표는 내가 연말정산구조에서 가져온
세액공제부분에서 중요하게 여겨지는 항목들만 빼서 본 것이다.

근로자 세액공제
-기부금
-의료비
-교육비
-보험료(사적)

세액공제가 이것만 있다면
섭하지 않겠는가???

자 먼저 세액공제의 전체적인 항목들을 한번 보자.
근로자 세액공제는 크게
세액감면과
세액공제 부분으로 나뉜다.

근로자 세액공제	세액감면	[소득세법]	
		[조세특례제한법](53제외)	
		[조세특례제한법]제30조	
		조세조약	
	세액공제	근로소득 세액공제	
		자녀세액 공제	자녀
			출산/입양
		연금계좌	과학기술공제
			근로자퇴직연금
			연금저축
			ISA연금계좌전환
		특별세액 공제	보장성보험
			의료비
			교육비
			기부금 / 정치자금 기부금

				특례기부금(전액)
				우리사주조합기부금
				일반기부금(종교단체외)
				일반기부금(종교단체)
		표준세액공제		
		납세조합공제		
		주택차입금		
		외국납부		
		월세액		

①세액감면

자 근로자세액공제의 세액감면부터 살펴보자.

세액감면에는 아래표에서와 같이

[소득세법]에 의한 감면
[조세특례제한법](53제외)에 의한 감면
[조세특례제한법]제30조에 의한 감면
조세조약에 의한 감면이
있다.

하나씩 자세히 살펴보자.

근로자 세액공제	세액감면	[소득세법]
		[조세특례제한법](53제외)
		[조세특례제한법]제30조
		조세조약

㉮ [소득세법]에 의한 감면
감면대상은 정부가협약(소득세법)에 의한 감면대상의 총급여이며

감면세액은
산출세액 × (감면대상 근로소득금액 / 근로소득금액)
이다.

㉯ [조세특례제한법](53제외)에 의한 감면
조세특례제한법에 의한 소득세 감면에는

(T01) 외국인기술자 소득세 감면(50%)

(T02) 외국인기술자 소득세 감면(70%)

(T30) 성과공유중소기업경영성과급 소득세 감면(50%)

(T40) 중소기업청년근로자 및 핵심인력성과보상기금 소득세 감면
(50%)

(T41) 중견기업청년근로자 및 핵심인력성과보상기금 소득세 감면
(30%)

(T42) 중견기업청년근로자 및 핵심인력성과보상기금 소득세 감면
(90%)

(T43) 중견기업청년근로자 및 핵심인력성과보상기금 소득세 감면
(50%)

(T50) 내국인우수인력국내복귀 소득세 감면(30%)

이런 종류들이 있다.

㉰ [조세특례제한법]제30조에 의한 감면
중소기업 취업자에 대한 소득세 감면이다.

감면세액은
산출세액 × (감면대상 총급여액 / 총급여액) × 감면율
이렇게 구한다.

㉔ 조세조약상에 의한 감면
조세조약상에 의한 감면에는

조세조약상 교직자감면(원어민교사등)이 있고

감면대상은 총급여이고

감면세액은

산출세액 × (감면대상 근로소득금액 / 근로소득금액)

이렇게 구한다.

② 세액공제

자 이제 근로자세액공제의
세액공제부분을 보자.

세액공제에는

근로소득 세액공제
자녀세액공제
연금계좌공제
특별세액공제
표준세액공제
납세조합공제
주택차입금
외국납부
월세액

이 있다.
여기서 눈여겨볼 항목은
특별세액공제이다.
이것도 왜 특별한 것인지는 모르겠지만
여기서 우리가 제일 많이 공제받는다.
제일 많이 공제 받아서 특별한건가??
암튼
많이 들어서 익숙한
보장성보험료
의료비
교육비

기부금이
여기에 속해있다.

근로자 세액공제	세액공제	근로소득 세액공제		
		자녀세액 공제	자녀	
			출산/입양	
		연금계좌	과학기술공제	
			근로자퇴직연금	
			연금저축	
			ISA연금계좌전환	
		특별세액 공제	보장성 보험	일반
				장애인
			의료비	
			교육비	
			기부금	정치자금 기부금
				특례기부 금(전액)

				우리사주조합기부금
				일반기부금 (종 교 단체외)
				일반기부금 (종 교 단체)
		표준세액공제		
		납세조합공제		
		주택차입금		
		외국납부		
		월세액		

㉮ 근로소득 세액공제

우리는 첨에 연말정산구조를 얘기할 때

처음에 수입금액(총급여액)에서

제일먼저 근로소득 소득공제를 해준다고 했었다.

(근로소득소득공제율표에 따라)

기억이 잘 안나면

앞부분을 다시 들춰보기 바란다.

세액부분에서도

근로소득 세액공제라고

세액공제를 해준다.

공제세액과 한도를 알아보자.

먼저 산출세액에 따른 **공제세액**을 알아보자.

산출세액	공제세액
130만원 이하	산출세액의 55%
130만원 초과	71만5천원 +130만원 초과금액의 30%

여기서 산출세액이 뭔지는 알 것이다.

책의 앞부분에서 연말정산의 구조에서 봤었던

그 구조도를 다시한번 보자.

연말정산 계산과정
1년총급여
-근로소득공제
=소득금액
-근로자소득공제
=과세표준
×세율(종합소득세세율)(-누진공제)
=산출세액
-세액공제
=납부세액(=결정세액)
-기납부세액
=최종납부세액

이 흐름도에서

1년총급여에서

근로소득공제빼고

근로자소득공제빼고

거기에 세율(종합소득세세율)을 곱하고 누진공제를 빼주면

산출세액이 나온다.

세액공제 한도를 알아보자.

총급여액	근로소득세액공제 한도
3천3백만원 이하	74만원
3천3백만원 초과 7천만원 이하	66만원~74만원
7천만원 초과 1억2천만원 이하	50만원~66만원
1억2천만원 초과	20만원~50만원

ⓝ 자녀 세액공제

그 다음에 해줄건 자녀세액공제다.

우리가 근로자 소득공제부분에서

기본공제와 추가공제등에서

사람에 관한 공제를 해줬었다.

그런데 세액공제에서

한번더 사람에 관한 공제를 더 해준다.

바로 자녀다.

요즘 저출산 때문에 말이 많은데

세액공제를 더 받을수 있으니 많이들 낳자.

자녀세액공제에는

자녀공제와

출산/입양공제가 있다.

자녀공제부터 알아보자.

근로자 소득공제에서 기본공제 대상이 되는

8살이상 20세이하 자녀에 대한 공제다.

자녀수에 따라 세액공제액이 다르니 한번 보자.

자녀의 수	세액공제 금액
1명	연 15만원
2명	연 30만원
3명이상	연 30만원 +2명 초과하는 1명당 연 30만원 (예: 3명 : 60만원, 4명 : 90만원, 5명 : 120만원)

그 다음으로 **출산/입양공제**를 알아보자.

해당 과세기간에 출산하거나

입양 신고한 공제대상 자녀가 있는 경우

첫째 30만원,

둘째 50만원,

셋째 이상인 경우 연 70만원을

종합소득 산출세액에서 공제한다.

㉰ 연금계좌

그 다음으로 연금계좌 세액공제를 보자.

연금계좌 세액공제가 되는 것에는

과학기술공제

근로자퇴직연금

연금저축

ISA연금계좌전환

이 있다.

총급여액별 공제한도 및 공제비율을 보자.

총급여액	세액공제 대상 납입한도	공제율
5500만원 이하	600만원 (퇴직연금포함일 때는900만원)	15%
5500만원 초과		12%

㉑ 특별세액공제

자 이제 아주 턱별한 특별세액공제를 볼 시간이다.

근로자 소득공제에도 **특별소득공제**가 있었다.

왜 특별을 넣었는지 모르겠지만

보통 네이밍할 때 딱히 네이밍할 걸 못찾으면

특별이란말을 잘 붙이지 않던가??

암튼 근로자 소득공제에서는

특별소득공제보다는 그밖의 소득공제의

신용카드등 사용액이 가장 중요하고

(가장 중요하다는 다른 공제액들에 비해

액수가 가장 크다는 것이다.)

근로자 세액공제에서는

이 특별세액공제가 금액이 제일 큰 부분이 되겠다.

그래서 더 턱별할 수도 있겠다.

특별세액공제에는

연말정산간소화자료에 많은 부분을 차지하는

보장성 보험료

의료비

교육비

기부금이 있다.

Ⓐ보장성 보험료

먼저 보장성보험료를 보자.

세액공제에 있는 보장성보험료를

소득공제에 있는 건강보험료와 헤갈려서는 안된다.

소득공제에 있는 건강보험료는 건강보험공단에 내는 것이고,

이 보장성보험료는 우리가 필요해서

민간보험사들에 가입하고 돈을 내는 것이다.

생명보험, 상해보험, 손해보험등등이 있으며

자동차보험도 보장성보험에 포함된다.

보장성보험만 적용되며

저축성보험은 공제적용이 안된다.

보장성보험에는 일반적인 보장성보험이 있고

장애인전용 보장성보험이 있다.

세액공제율과 공제한도를 알아보자.

	공제율	공제한도
보장성보험	납입금액의 12%	연 100만원 한도
장애인전용 보장성보험	납입금액의 15%	연 100만원 한도

보장성보험료는 그럼 본인것만 공제가 될까??
앞에서 기본공제대상자에 대해 공부했었는데
부양가족이나 같이 산다고해서
모두 기본공제대상자가 되는건 아니라고 했었다.

기본공제대상자가 되려면 조건이 있었는데
나이는 20세이하 60세이상이어야하고
소득은 연소득금액 100만원이하여야한다고 했다.
(근로소득만 있을 경우 총급여 500만원이하)

기본공제대상자로 되어있는 가족들의
보장성보험료를 지급했을 때 공제받을수 있다는 것이다.

그럼 보장성보험료를 신용카드로 결제하면
신용카드등 사용액 공제와
보장성보험료 공제를 둘다 받을 수 있을까??
안된다.
보장성보험료 공제만 받을 수 있다.

Ⓑ 의료비

의료비 세액공제는

기본공제로 등록된 가족들뿐만 아니라

기본공제가 안되는 부양가족들거까지 모두 공제받을 수 있다.

총급여액의 3%를 초과하는 금액이 의료비 세액공제 대상이다.

예를들어 총급여가 3000만원이면

3000만원의 3%는 90만원이다.

의료비가 90만원이 초과되야 공제를 받을 수 있다는 말이다.

그리고, **초과분에** 대해서만 공제가 된다.

세액공제율과 한도를 알아보자.

	세액 공제율	세액공제금액 한도
본인	15%	
그밖의 공제대상자	15%	연 700만원 한도
65세이상·장애인 ·건강보험산정특례자	15%	한도 없음
미숙아·선천성 이상아 치료비	20%	한도 없음
난임시술비	30%	한도 없음

그밖의 공제대상자인
일반가족들의 의료비는 한도가 연700만원이고,
본인의 의료비는 한도가 없다.

요즘 출산후 산후조리원을 많이 가는데
그 비용도 만만치 않다.
산후조리원비용의 경우
총급여액 7천만원 이하일 때 출산 1회당 200만원 한도로
공제를 해준다.

의료비로 공제되지 않는 비용에는
의료비 지출액 중 실비보험 등으로 보전받은 금액이 있다.
실비보험을 받은 금액은 빼고 공제가 된다.
외국 소재 의료기관에 지출한 비용은 공제가 안된다.
간병인 지급 비용은 안타깝게도 안된다.
미용·성형 수술을 위한 비용 및 건강증진 의약품 구입비용 등은
공제가 안된다.

ⓒ 교육비

교육비를 공제받을 수 있는건 기본공제대상자는 물론 되고,

기본공제대상자가 되려면 부양가족중에서 소득과 나이 조건이 모두 충족해야 기본공제 대상자가 된다고 하였다.

교육비는 부양가족중에서 **나이는 보지 않고 소득요건만 본다.**

소득만 연소득금액 100만원이하

(근로소득만 있을 경우 총급여500만원이하)

일 경우면 모두 교육비 공제가 된다.

아 대학원생의 교육비는 공제가 안되고

직계존속 즉 본인의 부모의 교육비는 공제가 안된다.

표를 통해 자세히 알아보자.

세액공제율을 15%로 모두 같다.

대상	세액공제율	공제금액 한도
본인 교육비	15%	전액
취학전아동/초중고 교육비	15%	1인당 300만원
대학생 교육비	15%	1인당 900만원
대학원생 교육비	공제안됨	

장애인 특수교육비 (직계존속 장애인 포함)	15%	전액
직계존속 (본인의 부모)	공제안됨	

초중고생이 있다면

수업료

방과후학교수강료

교복구입비

급식비

현장체험학습비(30만원하도)

등을 공제받을 수 있으니 잘 챙기기 바란다.

다른 항목들은 국세청에서 자료가 바로 넘어가는 경우가 많은데

교복구입비의 경우는 영수증을 받아와서 첨부해야 하는 경우도 있

으니 잘 확인하기 바란다.

그리고 학원비의 경우는

취학전아동의 경우는 학원비가 공제되지만

학교에 입학을 해버리면 그 뒤로는 학원비는 공제가 안된다.

초중고로 올라갈수록 학원비가 넘사벽으로 많아지는데

이런거나 공제받을 수 있도록 해주면 좋겠다.

Ⓓ 기부금

기부금도 교육비와 마찬가지로

부양가족의 나이를 안보고 소득만 본다.

나이와 소득조건을 모두 보면 기본공제대상자가 되는데

기부금은 소득조건만 보고 부합하면

공제대상자가 된다는 것이다.

구분	공제항목	세액공제율	공제 한도
정치자금 기부금	정당기부 등	*10만원이하 :대상금액×100/110 *10만원초과~3천만 원이하 :대상금액×15% *3천만원초과 :대상금액×25%	근로 소득 금액 전액
고향사랑기 부금 (2023년 신설)	지방자치 단체 기부	*10만원이하 :대상금액×100/110 *10만원초과~500만 원이하 :대상금액×15%	500만 원

특례기부금	국방헌금, 위문금품 등	*특례기부금＋우리사주조합기부금＋일반기부금 합계액 1천만원이하 :대상금액×15%	근로소득금액 전액
우리사주조합기부금	우리사주조합원이 아닌 사람이 우리사주조합에 지출하는 기부금	*특례기부금＋우리사주조합기부금＋일반기부금 합계액 1천만원초과 :대상금액×30%	근로소득금액의 30%
일반기부금	종교단체외	지정된 사회·복지·문화·예술단체		근로소득금액의 30%
	종교단체	주무관청에 등록된 종교단체		근로소득금액의 10%

특별하고도 특별했던

특별세액공제가 드뎌 끝났다.

뒤에 남은 세액공제 항목들이 더 있지만

가장 큰 덩치는 뭐니뭐니해도

특별세액공제라 할 수 있겠다.

이제껏 봐서 알겠지만

연말정산의

근로자소득공제

근로자세액공제의

모든 항목들이 다 중요한건 아니고

근로자소득공제에서는

기본공제

추가공제

그리고

그밖의 소득공제의

신용카드등 사용액이 중요하고

근로자세액공제에서는

바로 이 특별세액공제가 가장 중요하다.

연말정산간소화자료에서도 가장 많이

언급되는 항목들이니

뒤에서 비교하면서 다시 보도록 하겠다.

㉤ 표준세액공제

건강(고용)보험료, 보장성보험료, 의료비, 교육비, 법정(지정)기부금, 주택임차차입금, 장기주택저당차입금, 월세액 공제를 신청하지 않은 경우 적용한다.

근로소득이 있는 거주자로서 공제신청을 하지 아니한 경우는
연13만원 세액공제를 하고
성실사업대상자가 의료비 및 교육비를 신청하지 않은 경우
연12만원을 공제한다.
성실사업자를 제외한 사업자는 연 7만원을 공제한다.

ⓐ 납세조합공제

공제대상자는

납세조합에 가입한 근로자이다.

산출세액의 5%를 공제한다.

㉔ 주택차입금

주택자금 차입금에 대한

당해연도 이자상환액의 30%를 공제해준다.

㉒ 외국납부

거주자의 경우 국내·외 모든 원천소득에 대해 과세되기 때문에
거주자의 국외소득이 외국에서 과세되고
국내에서 다시 과세하게 되면 이중과세가 되므로
이를 조정하기 위한 제도이다.

공제대상은
국외근로소득에 대하여 외국에서 납부하였거나
납부할 소득세가 있는 거주자인 근로자이다.

공제한도는 다음과 같다.

*일반적인 경우

종합소득산출세액 × 국외근로소득금액/총근로소득금액

*조특법 기타 법률에 의하여 세액면제·감면을 적용받는 경우

종합소득산출세액 × (국외원천소득−감면대상국외원천소득 × 감면비율)/당해과세기간의 종합소득금액

㉔ 월세액

총급여액 7,000만원 이하이고
12월31일 현재 무주택 세대주여야 한다.

국민주택규모(전용면적 85㎡ 이하)의 주택
기준시가 4억원 이하의 주택,
국민주택규모의 주거용 오피스텔
고시원 등의 다중생활시설에
임차하기 위해 지급하는 월세로
전입신고가 되어있어야한다.

계약자가 본인이거나
기본공제 대상자여야한다.

세액공제액은 다음과 같다.

총급여 5500만원 이하	총급여 5500만원 초과~7000만원 이하
월세 지급액의 17% (연간 750만원 한도)	월세 지급액의 15% (연간 750만원 한도)

3.연말정산간소화자료 보는방법

자 이제
아기다리 고기다리던
연말정산간소화자료를 살표볼 시간이 왔다.

앞에서 여지껏 빌드업한 내용들은
이 자료를 쉽게 파악하기 위한
애피타이저였다고 보면 된다,

자 이제 기다리고기다리던 메인요리를 먹어보자.

(1)연말정산간소화 자료

매년 1월 20일경에

회사에서는

연말정산을 해야하니

홈택스에서

연말정산간소화자료 다운받아서 제출하세요한다.

연말정산이라는 말만 들어도

두렵고

혹시나 세금을 더 내는게 아닌가?

내가 자료를 덜주면 어쩌지?

내야하는 자료가 뭐가 있다는 거야??

하며 불안해하고 긴장한다.

하지만, 이제는 아니다.

우리는 배운사람들 아닌가!

앞에서 이때껏 공부한게

모두

연말정산간소화자료를 좀 더 쉽게보기위해서가 아니었던가!

이제 연말정산간소화자료를 봐도

아 이거 이건 소득공제항목이네

이건 세액공제항목이네
눈이 트이고 귀가 트일 것이다.
그리고 아 생략된 항목들이 많은걸?
혹시 빠진게 있지않나
하고 빠트린 항목들도 더 찾을 수 있게 될 것이다.

이제부터 하는
연말정산간소화자료에 있는 항목들을
근로자소득공제표와
근로자세액공제표에서
찾는 일은
숨은그림찾기
아니면 퍼즐맞추기처럼
초딩, 유치원생도 할수 있는
아주 쉽고 재밌는 공부가 될 것이다.

공부는 재밌어야한다.
지루하다, 재미없다 느껴지기 시작하면
하기가 싫다.

공부가 재밌으면
집중하고 몰입되어
몇시간이 흘러도 시간가는 줄 모르고 하게 된다.

자 이제 대망의

연말정산간소화자료를 보자.

홈택스에서 연말정산간소화 바로가기를 누르면

소득·세액공제 자료조회라고

표같은 게 나온다.

먼저 근무했던 월을 모두 체크한다.

그리고 **돋보기표시**를 클릭하면

해당금액들이 나온다.

건강 / 고용보험	국민연금	보험료	의료비	교육비	신용카드	직불카드	현금영수증
돋보기표시	돋보기표시	돋보기표시	돋보기표시	돋보기표시	돋보기표시	돋보기표시	돋보기표시

장애인증명서	기부금	소기업·소상공인공제부금	장기집합투자증권저축/벤처기업투자신탁	주택마련저축	월세액	주택자금	개인연금저축/연금계좌
돋보기표시	돋보기표시	돋보기표시	돋보기표시	돋보기표시	돋보기표시	돋보기표시	돋보기표시

(2) 연말정산간소화 자료항목을
근로자소득공제표와 근로자세액공제표에서 찾아보기

찾기 쉽게
앞에서 다뤘던

근로자 소득공제표와
근로자 세액공제표를 다시 가져왔다.

이제 항목 하나하나들이
어디에 속하는지
숨은그림 찾기를 하면 된다.

연말정산간소화자료에 있는 항목들을
빨간색으로 표시해보았다.

참조하기 바란다.

*근로자소득공제

			본인
근로자 소득공제	종합 소득공제	기본공제	배우자
			부양가족
		추가공제	경로우대

			장애인	
			부녀자	
			한부모가족	
		연금보험 공제	국민연금보험료	
			공적연금 보험공제	공무원연금
				군인연금
				사립학교 교직원
				별정우체 국연금
		특별 소득공제	보험료	건강보험료
				고용보험료
			주택차입금 원리 금상환액	대출기관
				거주자
			장기주택저당차입금이	

			자상환액
			기부금-2013년이전이월분
	그밖의 소득공제	개인연금저축	
		소기업,소상공인공제부금	2015년이전가입
			2016년이후가입
		주택마련저축소득공제	청약저축
			주택청약
			근로자주택마련
		투자조합출자등 소득공제	
		신용카드등사용액	
		우리사주조합출연금	일반 등
			벤처 등
		고용유지중소기업근로자	
		장기집합투자증권저축	
		청년형장기집합투자증권저축	

*근로자세액공제

근로자 세액공제	세액감면	[소득세법]	
		[조세특례제한법](53제외)	
		[조세특례제한법]제30조	
		조세조약	
	세액공제	근로소득 세액공제	
		자녀세액 공제	자녀
			출산/입양
		연금계좌	과학기술공제
			근로자퇴직연금
			연금저축
			ISA연금계좌전환
		특별세액 공제	보장성보험
			의료비
			교육비
			기부금 / 정치자금 기부금

				특례기부금(전액)
				우리사주조합기부금
				일반기부금(종교단체외)
				일반기부금(종교단체)
		표준세액공제		
		납세조합공제		
		주택차입금		
		외국납부		
		월세액		

① 건강/고용보험

자 어디한번 보자.

제일 첫 번째 항목이 무엇인가??

건강/고용보험이다.

이건 어디에 있던 항목이었나???

근로자 소득공제인가?

근로자 세액공제인가?

맞다 근로자 소득공제이다.

근로자 소득공제가 크게 두가지가 있었다.

무엇과 무엇이었나?

종합소득공제와

그밖의 소득공제였다.

그럼 건강/고용보험은 어디에 속해있었나?

맞다.

종합소득공제의

특별소득공제 안에 있는 항목이다.

② 국민연금

그다음 항목은 무언가??

국민연금이다.

국민연금은 근로자 소득공제와 근로자 세액공제중
어디에 해당하는 항목인가??
한번 찾아보자.

근로자 소득공제
-> 종합소득공제
-> 연금보험공제
-> 국민연금
에 있다.

③ 보험료(=보장성보험)

그 다음은 보험료이다.
우리가 앞에서 배웠던 보장성보험과 같다.
이 보험료는 건강보험공단, 고용보험공단에 드는
건강/고용보험이 아니라
우리가 민간보험회사에 사적으로 드는 보험들이다.
생명보험, 화재보험, 손해보험, 자동차보험등등이다.

보험료는 어디에 속해있을까?
기억인 나는가?
머리를 한껏 굴려보라

맞다
보험료는 근로자 세액공제에 있던 항목이다.
내가 턱별하다고
왜 특별한지 모르겠지만
아주 특별한 특별세액공제라고 기억할 것이다.

근로자 세액공제
-> 세액공제
-> 특별세액공제
-> 보험료
이렇게 보험료라는 항목이 속해있다.

④ 의료비

그 다음은 의료비이다.
의료비는 어디에 속해있었나?
근로자 소득공제인가?
근고자 세액공제인가?

맞다 세액공제이다.

근로자 세액공제
-> 세액공제
-> 특별세액공제
-> 의료비

보험료와 같이 특별세액공제안에 있다.

⑤ 교육비

그 다음은 교육비이다.
교육비는 어디에 속해있었는지 기억이 나는가?

특별했던 특별세액공제 4총사 기억하는가?
보험료
의료비
교육비
기부금
아주 중요하니
밑줄 쫘악 해야할 항목들이다.

근로자 세액공제
-> 세액공제
-> 특별세액공제
-> 교육비

교육비도 여기에 속해있다.

⑥ 신용카드/직불카드/현금영수증

자 다음은
신용카드
직불카드
현금영수증이다.

직불카드는 체크카드라고 보면 된다.

자 이 항목들은 우리가 어디서 봤는가???
자 기억해보자!

맞다 근로자 소득공제였다.

자 여기서 주의할건
이 항목들은 개별로 있는게 아니라
함께 묶어서
신용카드 등 사용액이라는 항목에 있다.

근로자 소득공제
-> 그밖의 소득공제
-> 신용카드 등 사용액

근데 좀 불만인게
연말정산 통틀어서
가장 공제를 많이 받는
제일 중요한 항목인데

왜 그밖의 소득공제항목안에다 넣었을까?

가장 중요한 소득공제라고 해도 모자랄판에...
네이밍센스가 너무 부족한 거 같다.

⑦ 개인연금저축 / 연금계좌

자 그 다음 항목은 개인연금저축/연금계좌이다.

이 항목은 어디있었더라???

연말정산간소화 자료도
소득공제항목은 소득공제항목끼리
세액공제항목은 세액공제항목끼리
배열을 해놓았으면 더 찾기가 쉬울텐데
지금 소득공제항목들이랑
세액공제 항목들이 순서가 섞여있다.

그래도 잘 분류해서 찾아보자.

개인연금저축은
신용카드 등 사용액과 마찬가지로

근로자 소득공제
-> 그밖의 소득공제
-> 개인연금저축

에 있다.

⑧ 주택자금

자 그다음은 주택자금이다.
생각해봐도 주택자금이라는 항목은
근로자 소득공제나
근로자 세액공제에서
보지 못한 항목 아닌가??

그도 그럴것이
주택자금이란 항목은 주택에 관련된 자금항목들을
묶어놓은 것이다.

포함되는 것들에는
주택차입금 원리금상환액
장기주택저당차입금 이자상환액
이 있다.

이 항목들은 어디서 보았는가?

맞다.
근로자 소득공제안에
종합소득공제 안에 있는 항목들이다.

근로자 소득공제
-> 종합소득공제
-> 주택차입금 원리금상환액/장기주택저당차입금 이자상환액

⑨ 월세액

그 다음은 월세액인다.

월세액 항목의 위치는

근로자 세액공제
-> 세액공제
-> 월세액

바로 이렇게 되어있다.

⑩ 주택마련자금

그 다음은 주택마련자금이다.

주택마련자금은 **주택마련저축소득공제**라고 생각하면 된다.

위치는 여기에 있다.

근로자 소득공제
-> 그밖의 소득공제
-> 주택마련저축소득공제

⑪ 장기집합투자증권저축 / 벤처기업투자신탁

장기집합투자증권저축 / 벤처기업투자신탁은

장기집합투자증권저축이란 항목안에 모두 들어있다.

장기집합투자증권저축의 위치는

근로자 소득공제
-> 그밖의 소득공제
-> 장기집합투자증권저축

여기에 있다.

⑫ 소기업·소상공인 공제부금

소기업·소상공인 공제부금의 위치는

근로자 소득공제
-> 그밖의 소득공제
-> 소기업·소상공인 공제부금

에 있다.

⑬ 기부금

기부금은 어디에 있었나??
어렴풋이 기억나지 않는가??
특별한 세액공제 어쩌구 저쩌구..

근로자 세액공제
-> 세액공제
-> 특별세액공제
-> 기부금

위치는 바로
보험료, 의료비, 교육비와 같은
아주 턱별한 곳에 있다.

⑭ 장애인 증명서

이건 장애인인 분들이

장애인증명서 내역을 확인하고 다운받을 때

사용하는 항목이다.

(3) 연말정산간소화 자료항목을
근로자소득공제와 근로자세액공제로 분류해보기

자 우리는 이렇게
연말정산 간소화자료에 나오는 항목들이
우리가 앞에서 배운
근로자 소득공제와
근로자 세액공제 중
어디에 위치해 있는지
하나하나 찾아보았다.

항목에 관한 자세한 설명은
앞부분을 참조하기 바란다.

그리고 연말정산 간소화자료에는 없지만
근로자 소득공제와
근로자 세액공제에
더 해당하는 항목이 있다면
자료를 찾아서 연말정산할 때
회사에 같이 제출하면 될 것이다.

자 그럼

연말정산 간소화자료의 항목들이

근로자소득공제와 근로자세액공제의 어디에 해당하는지

한번 표로 정리해보자.

근로자 소득공제			근로자 세액공제		
종합소득공제		그밖의 소득공제	세액 감면	세액공제	
특별 소득 공제	-주택 자금 (**주택차 입금 원리금상 환액 /장기주 택저당차 입금 이 자 상 환 액**)	-신용카 드/직불 카드/현 금영수증 (**신용카 드등사용 액**)	연말정산 간소화자 료에해당 항목없음	**특별 세액 공제**	-월세액
-건강/고 용보험 -국민 연금		-개인연 금저축/ 연금계좌		-보험료 -의료비 -교육비 -기부금	
		-장기집 합투자증 권저축 / 벤처기업 투자신탁			
		-소기업· 소상공인 공제부금			

		-주택마 련저축 -개인연 금공제/ 연금계좌			

자 이제 연말정산자료를 받아봐도

아 이건 근로자 소득공제에 해당하는 내용이지

아 이건 근로자 세액공제에 해당하는 내용이지

하며

당황하거나 혼란스러워하지 않을 수 있을 것이다.

그리고,

연말정산간소화자료에 없는 내용들도

혹시나 해당하는 항목들은 없는지

더 찾아볼 수도 있을 것이다.

모르는 적은 무섭지만

아는 적은 무섭지 않다.

연말정산의 개요를 모르고

흐름을 모르고

구조를 모르고

항목들을 몰랐을땐

깜깜한 방에서 바늘찾기하는 기분이었다면

이제는

불켜고 숟가라찾기일 것이다.

이래서 사람은 배워야한다.

특히나 더

우리가 중년, 노년이 되도록 등한시했던

세금에 관련된 부분은..

자 이제 대망의 마지막 파트

급여명세서 파헤치기가 남았다.

급여명세서야말로

우리가 직장을 다니면 제일먼저 받아보는

돈에 대한 명함 아니던가!

자 우리가 힘들게 번 돈이

어디서 어떻게 나가는지

다시한번 더 연말정산 지식을 곁들여

디벼보자.

급여명세서에는

원천세뿐만 아니라

수당과

최고의 복병

바로 4대보험이 있다.

4대보험은 세금은 아니지만

우리돈을 갈취해가니

이부분도 정확히 한톨의 의심도 남김없이

샅샅이 디벼봐야 할 것이다.

자 비장한 마음으로

책의 마지막장이 다가오고 있지만

앞의 많은 공부들로 집중력이 흐트러졌겠지만

다시한번 힘을 내서

Let's Go!!!

4.급여명세서 파헤치기

자 이제 대망의 급여명세서 파트에 왔다.
우리가 일을 하고 한달이 지나면
급여명세서와 함께 급여를 받는다.

근데 월급이 200만원이라 그랬는데
받는건 10%정도가 빠지는 180만원이다.
가뜩이나 월급도 작은데
거기서 또 20만원씩이나 빼가니
괜시리 삥뜯긴 기분도 든다.

어디서 얼마나 빠지는 걸까??
고급스런 말로 '공제'라고도 한다.

자 급여명세서는 어떻게 구성되어있는지
하나씩 파헤쳐보자.

(1) 급여명세서의 구성

급여명세서는 크게 4부분으로 나뉜다.

과세되는 금액,
비과세되는 금액,
4대보험,
소득세
부분으로 나뉜다.

여기서
과세되는 금액,
비과세되는 금액은
우리가 받는 금액이고
4대보험,
소득세금액은
공제되는(빼는) 금액이다.

총 급여는 이 4가지를 모두 합한 금액이고
실수령액은 4대보험과 소득세금액을 뺀 부분이 되겠다

4대보험은 들어봤는데
과세와 비과세의 차이는 아는가??

우리말은 한자로 된게 많아 어렵게 느껴지는 단어들이 참 많다.

탁 까놓고 얘기해서
과세는 세금을 내는 금액이고
비과세는 세금을 안내는 금액이다.

과세는 세금을 과한다는 뜻이고
비과세는 비가 아닐 '비'라는 뜻이므로
세금을 과하지 아니한다라는 뜻이 된다.

사람이 돈을 벌면 세금을 내야한다.
회사에서 받는 월급도 마찬가지다.
그럼 월급을 받는 모든 액수에 세금을 낼까???
아니다.

위에서 얘기했듯이
과세부분금액만 세금을 낸다.

비과세금액은 세금을 내지 않는다.

그럼 과세부분은 어떤게 있을까??
자 먼저 급여명세서를 표를 통해 한번 보자.

과세부분	기본급		
	상여		
	직책수당		
	월차수당		
	연차수당		
비과세 부분	제출비과세	식대	20만원
		육아수당	10만원
		야근수당	전년도 총 급여액이 3천만원이 하이고, 월기본급 이 210만원 이하인 생산직 사원만 연 240만원 한도로 비과세됨
		연구수당	20만원

	미제출비과세	자가운전보조금	20만원
4대보험 부분	국민연금	기준소득월액×9% (고용주,근로자 반반씩 부담)	
	건강보험	평균보수월액×7.09% (고용주,근로자 반반씩 부담)	
	장기요양보험	반반씩 부담하는 건강보험료금액의 12.95%	
	고용보험	월평균보수×1.8% (고용주,근로자 반반씩 부담)	
소득세 부분	소득세	총급여중 과세되는 금액의 근로소득간이세액표에서의 소득세	
	지방소득세	소득세의 10%	

이 표의 모든 금액을 합하면 총급여라고 한다.

하지만 우리는 이 금액들을 모두다 월급으로 받지 않는다.

여기서 우리가 받는 실수령액은

과세금액과, 비과세금액이다.

그 아래의 4대보험과 소득세는 내 총급여에서 빼는(공제되는)금액

이다.

그래 솔까(솔직히 까놓고 말해서) 빠져나가는 돈이 너무 많다.
대략 총급여의 10%정도다.
총급여가 300만원이라면 30만원돈이 나간다.

안내면 안되나 싶지만
4대보험을 보면
국민연금은 나중에 나이들면 연금으로 타쓰고
건강보험은 병원갈 때 진료비를 싸게 해주니 이것도 필요하다.
고용보험은 나중에 실업급여로도 타먹을 수 있고..

그리고 소득세..
이게 바로 우리가 자주 말하는 원천세 부분이다.
앞에서 연말정산 할 때 충분히 설명한 걸로 안다.

이게 바로 우리가 받는 급여의 세금 되시겠다

소득세는 국세청에 내는 세금이고,
지방소득세는 지방자치단체(시청, 구청등)에 내는 세금이다.
지방소득세는 소득세의 10%에 해당하는 금액이다.

우리가 항상 잘 모르고 헷갈려하는 게 있다.
4대보험은 절대 세금이 아니다.
우리의 복지를 위한 사회보장제도이다.

그러니 월급에서 많이 떼어가도 너무 아까워말자.

자 그럼 위의 표를 하나씩 살펴보자.

과세금액에는 뭐가 있나?
기본급
상여
직책수당
월차수당
연차수당
등이 있다.

비과세금액에는
식대 20만원
육아수당 10만원
야근수당
(전년도 총 급여액이 3천만원이하이고,
월기본급이 210만원 이하인 생산직 사원만
연 240만원한도로 비과세됨)
연구수당 20만원
자가운전보조금 20만원
등이 있다.

그런데 이 비과세금액이 넘는 금액을 줄경우는

그 초과금액만큼

과세금액에 포함되어 소득세가 더 나오게 된다는 걸 알아두자.

예를 들어 식대는 20만원까지가 비과세되는 금액이다.

그런데 식대를 30만원을 준다면

10만원은 과세가 된다는 말이다.

그리고 비과세부분에는

제출비과세, 미제출비과세라는 말이 나오는데

이건

원천징수이행상황신고서

근로소득 지급명세서(=근로소득원천징수영수증)

근로소득 간이지급명세서

과 관련되는 말인데 이건 뒷장에서 자세히 설명하도록 하겠다.

그 다음은 4대보험부분이다.

4대보험에는

국민연금

건강보험

장기요양보험료

고용보험

이 있는데

여기에 산재보험이 빠졌다.

산재보험은 고용주만 내는 거라서 뺐다.

고용주(=사업자)는 자기의 사업의 종류에 따라

거기에 따른 산재보험요율로 산재보험료를 낸다.

근로자가 부담해야 할 부분은

국민연금

건강보험

장기요양보험료

고용보험

이다.

국민연금 요율은 9%

건강보험은 요율은 7.09%

고용보험 요율은 1.8%

라고 대충은 알고 있을 것이다.

(혹시 몰랐나??;;;)

근데 이 요율을 **월급금액** 전체에 곱하는 걸까???

총급여에다 곱하는걸까???

아니면 **기본급**에다??

아니면 **과세급액**에만???

헷갈릴 것이다.

이 요율은

국민연금은 **기준소득월액**에다 9%를 곱하고

건강보험은 **평균보수월액**에다 7.09%를 곱하고

고용보험은 **월평균보수**에다 1.8%를 곱한다.

아따마

연말정산만 해도 머리가 어지러운데

이건또 머시당가???

그냥마 한 금액에다 쫙 곱해버리면 안된당께???

이러니 세금을 사람들이 어려워할 수 밖에 없다.

이건 뭐 공부하지 마라고

일부러 어렵게 만들었다고 밖에는.....

자 겁먹지 말자.

다 말장난일 뿐이다.

기준소득월액, 평균보수월액, 월평균보수니 해도

어차피 **총급여에서 비과세금액을 제외한 과세금액**정도이다.

자 어떻게 계산되어 나오는지 한번 살펴보자.

기준소득월액은

전년도 소득총액 ÷ 총근무일수 × 30을 해서 구한다.

여기서 전년도 소득총액이란 급여에서

급여에서 과세부분 금액들의 1년합이니까

그럼 대충 한달 비과세금액을 뺀 과세금액이 나온다.

평균보수월액, 월평균보수는

전년도 보수총액 ÷ 12해서 구하는데

전년도 보수총액도 급여에서 과세부분 금액들의 1년합이니까

그럼 대충 한달 비과세금액을 뺀 과세금액이 나온다.

말마 번지르르하지

어차피 비슷한 금액이 나온다는 걸 알 수 있다.

근데 조금 다른점이 있다면

기준소득월액은 올해 7월부터 다음해 6월까지 적용이 되고

평균보수월액, 월평균보수는 올해 4월부터 다음해 3월까지 적용이

된다는 거다.

이말은 6월과 7월의 국민연금금액이 전년도의 과세금액부분급여의

변동에 따라 다를 수 있다는 것이다.

건강보험료와 고용보험료도 3월과 4월의 보험료가 전년도의 과세

금액부분급여의 변동에 따라 다를 수 있다는 말이다.

자 이제 마지막 대망의 소득세부분이다.

이게 바로 원천세라고도 하는 부분이다.

소득세는

소득세와 지방소득세가 있다.

월급으로 돈을 벌었으니

나라에도 세금을 내고(소득세=국세)

내가 살고 있는 지방자치단체에도 세금을 내는 것이다.(지방소득세

=지방세)

자 그럼 소득세 책정은 어떻게 할까???

4대보험은

기준소득월액, 평균보수월액, 월평균보수에다

4대보험 요율들을 곱해서 구했는데

그럼 소득세는 어디에다 요율을 곱할까??

소득세의 요율은 종합소득세 요율이다.

그리고 기준금액은

총급여에서 비과세금액들을 뺀 과세금액에만 곱한다.

근데 한달마다 종합소득세요율을 곱해서 소득세를 계산하려니

너무 힘이 많이 든다.

소득세를 계산하는 과정이 바로 연말정산과정이다.

소득공제, 세액공제등등

이걸 한달마다 그 많은 근로자들 거를 일일이 다 할 수 있겠는가???

그래서 만든 것이 바로 **근로소득간이세액표**이다.

이 글자에서 무슨 글자가 보이는가?

간이라는 글자가 보이지 않는가???

간이라는 뜻이 무언가?

뭔가 간소하다는 뜻 아닌가

그러니 대충 어림잡아서 세금을 계산해놓았다는 것이다.

이 **근로소득간이세액표**를 보면

한달 급여(과세금액만)와 부양가족수를 알면

대충 소득세가 나온다.

그리고 세금을 더 깎아줄 요량으로(나라에 감사하자)

최근에 신설된 세법에 의하면

자녀수에 따라 세금을 더 깎아준다.

공제대상가족 중 8세 이상 20세 이하 자녀가 있는 경우의 세액은 근로소득 간이세액표의 금액에서 해당 자녀수별로 아래 금액을 공제한 금액으로 한다.

(다만, 공제한 금액이 음수인 경우의 세액은 0원으로 함)

→ 8세 이상 20세 이하 자녀가 1명인 경우 : 12,500원
→ 8세 이상 20세 이하 자녀가 2명인 경우 : 29,160원
→ 8세 이상 20세 이하 자녀가 3명인 경우 : 29,160원 + 2명 초과 자녀 1명당 25,000원

시간이 되면 근로소득간이세액표도 한번 찾아보기 바란다.
직접 찾아보면 기억에도 잘 남는다.
이것이 바로 참공부가 아니겠는가??
이제 눈에 훤하게 보일 것이다.

(2)원천징수이행 상황신고서/
근로소득 지급명세서(=근로소득 원천징수영수증)/
근로소득 간이지급명세서/
비교하기

자 앞에서 내가
비과세에는
제출비과세와
미제출비과세가 있다고 하였다.

이건 왜 구분하였을까??
어디에서 쓰이는 걸까???

바로 이번에 배울
원천징수이행상황신고서,
근로소득 지급명세서(=근로소득 원천징수영수증),
근로소득 간이지급명세서
등에서
기재되거나 기재되지 않는 차이가 있다.

여기에서 미제출비과세는
셋중 어느곳에도 기재가 안된다.

근데 저 셋이 뭘까?

들어본 듯 들어보지 못한 듯한 말들이다.

간단하게 말하면

내가 연말정산이나, 급여명세서에서

원천세에 대해 말했을 것이다.

바로 급여에 대한 소득세이다.

그걸 근로자들은 매달 낸다.

자 돈을 냈으니 뭘 받아야하는가???

쉽게 말해 슈퍼에 가서 돈을 내고 물건을 샀다.

그럼 뭘 주는가??

맞다 바로 영수증이다.

위에 나와있는 3가지

(원천징수이행 상황신고서,

근로소득 지급명세서(=근로소득 원천징수영수증),

근로소득 간이지급명세서)

는 바로

원천세를 낸 것에 대한 영수증인 것이다.

자 하나하나 좀 더 자세히 알아보자.

회사를 다닌다면
원천징수이행 상황신고서란 들어봤을 것이다.
아니 경리, 회계일을 하는 사람이 아니면 잘 못들어봤을 수도 있다.

자 내가 위에서
원천징수이행 상황신고서,
근로소득 지급명세서(=근로소득 원천징수영수증),
근로소득 간이지급명세서
는 원천세(급여(과세부분만)에 대한 소득세)에
대한 영수증이라고 하였다.

저 셋의 차이는
언제 제출하느냐의 시기의 차이만 있을 뿐이다.

원천징수이행 상황신고서
참 말이 어렵다.
세금에 관한 말들은 어찌 이리 어려운지...
풀어서 말하면
원천세를 원천징수한것에 대한 상황을 보고한 신고서
쯤 되겠다.

어디에 보고하는가?

회사에서 관할 세무서에 보고를 하고 납부를 하면 되는 것이다.

세무사등에게 맡겼다면 거기서 세무서에

원천징수이행 상황신고서를 제출할 것이고

회사는 납부만 할 것이다.

이건 매달 10일전에 그 전달의

원천징수에 대한 것을 작성하여 해야한다.

그럼

근로소득 지급명세서(=근로소득 원천징수영수증)

은 무얼까??

왜 근로소득 지급명세서와 근로소득 원천징수영수증이

같다고 하였을까???

왜 같다면 같은 서식이기 때문이다.

한 장의 서류가

근로소득 지급명세서도 되고

근로소득 원천징수영수증도 된다.

자 생각해보자.

고용주의 입장에서는 근로소득을 지급했으니

근로소득 지급명세서일 것이고,

근로자의 입장에서는 근로소득에 대한 원천세를 납부한 영수증이니 근로소득 원천징수 영수증이 것이다.

이 근로소득지급명세서의 제출시기는
근로소득,퇴직소득,사업소득자일 경우는 매년 3월 10일까지
이자소득,배당소득,기타소득은 2월말까지
일용직 근로자들은 이번달 일했다면 다음달 말까지
세무서에 제출해야한다.

이거야 회사에서 경리,회계를 담당하시는 분들이 하는 일이고,
우리는 연말정산할때나
은행,관공서등에 소득증빙을 해야할 때
이직시 소득증빙을 해야할 때
근로소득 지급명세서나
근로소득 원천징수영수증(어차피 같은말)을
떼오라는 말을 많이 듣는다.

홈택스에 가면 근로소득지급명세서라고 찾을 수 있으니
거기서 떼면된다.

자 홈택스에서 찾아보는 일은 직접 해보자.

밥을 입에 떠먹여줄수는 있어도 씹는건 직접해야하지 않겠는가???

자 그럼 마지막 **근로소득 간이지급명세서**는 뭘까???

참 뭐가 많다.

그렇지 않은가??

간이라는 말이 들었으니 좀 간소하다는 말인가???

원천징수이행상황신고서나

근로소득 지급명세서나 근로소득 원천징수영수증으로는

뭐가 또 부족해서

근로소득 간이지급명세서라는 것까지 만들었을까??

그래 이건 최근에 새로 만든게 맞다.

왜 만들었을까??

2019년도에 신설되었고

왜 만들었냐면

근로장려금등 복지혜택을 주려고보니

소득증빙이 필요해서 만들었는데

그럼 근로소득 지급명세서로 제출하면 되는거 아닌가요?

할수 있다.

하지만 근로소득 지급명세서는 1년에 한번정도 제출하는 거고

근로장려금은 1년에 두 번 신청할 수 있으니

반년에 한번정도 소득증빙할수 있는

또다른 근로소득 지급명세서가 필요한 것이다.

그것이 바로 '간이'자를 붙인

근로소득 간이지급명세서 되시겠다.

근로장려금은

1년에 두 번

8~9월에 신청해서 12월에 수령하고

2~3월에 신청해서 6월에 수령한다.

그리고

근로소득 지급명세서와

근로소득 간이지급명세서의 차이는

근로소득 지급명세서는 모든 소득

(근로소득,퇴직소득,사업소득,이자소득,배당소득,기타소득등)에

대해서 뗄 수 있다면

근로소득 간이지급명세서는

근로소득과 사업소득에 대해서만 뗄 수 있다.

그리고 여기서

앞에서 얘기한

제출비과세, 미재출비과세 기재여부는

원천징수이행 상황신고서에는

총지급액이라고 나오는데

여기서 **총지급액**이란

과세되는급여(기본급+수당)+제출비과세가 합해진 금액이고

근로소득 지급명세서의 **총급여**는
제출비과세가 포함되지 않는 금액이라는 차이가 있다.
근로소득 지급명세서에는 **제출비과세가** 따로 기재가 된다.

그리고 근로소득 간이지급명세서에는
과세되는 금액만 나온다.
제출비과세가 기재되지 않는다.

제출비과세, 미제출비과세가 뭐뭐 있었는지 기억이 안나는가???
앞장을 들쳐서 다시한번 확인해 보자.
자꾸 여러번 들쳐서 눈에 익히면 기억에 더 잘 남는다.

자 이제
원천징수이행 상황신고서
근로소득 지급명세서
근로소득 간이지급명세서
의 차이점과 비슷한점을 잘 알았는가???

그 서식들을 이 책에 실을 수도 있었지만
자 책을 다 읽고 인터넷을 검색해서
직접 찾아보는 건 어떨까??

홈택스에도 한번 들어가서 근로소득 지급명세서를 확인도 해보고..

자기가 직접 찾아보다보면
기억에 더 잘남고
더많은 정보들도 얻을 수 있을 것이다.

글을 마치며...

난 책을 길게 쓰는 걸 좋아하지 않는다.

책이 두꺼운 것도 좋아하지 않는다.

책이 두꺼우면 사람들은 책을 펼치기조차 싫어한다.

그리곤 책을 읽기보다 베개용으로 쓸 것이다.

내가 앞서 쓴 책들은 200페이지를 넘지 않았었는데

이 책은 200페이지를 넘게 되었다.

소득세부분은 꼭 연말정산과 관련된 부분은 아니니

넘겨읽어도 좋다.

아니면 필요한 부분, 알고싶은 부분만 발췌해서 읽어도 좋다.

책은 발췌해서 읽는게 더 기억에 잘 남는다는 사실을 아는가??!

내 책의 모토는 항상 그랬다.

할머니도 이해할 수 있는 책

초딩들도 이해할 수 있는 책

그러다보니

한페이지의 글자수를 적게 하고

하나를 설명할땐 최대한 쉬운 표현으로 길게 설명한다.

이건 밥을 입에 떠먹여주는 수준이 아니라

밥을 입에 떠먹여주고 입을 움직여 밥을 씹게까지 만들어주는 정도다.

올해 초에 시작한 집필작업은
중간중간 다른일 때문에 중단되기도 하면서
5월 초여름에 들어서야 겨우 마무리를 할 수 있게 되었다.

항상 내 맘은 그렇다.
밥을 떠먹여 주듯
손을 잡아 걸음마를 도와주듯
당신을 세금의 무지에서 벗어나게 해주고 싶다.

나는 전문가는 아니다.
전문가들의 책은 이해하기 어려울때가 많다.
내가 아는정도만이라도 쉽게 알게 해주고 싶은 맘에 글을 쓰고 책
을 출판하는 것이다.

매년 초 1~2월이면 연말정산을 한다.
연.말.정.산
말만 들어도 두려움에 떤다.
자료를 적게 내서 세금폭탄을 맞는거 아냐??
자료를 뭘 내야 하는거지??
우왕좌왕 헤맨다.

왜냐??

우리는

초등학교 6년

중학교 3년

고등하고 3년

대학교 4년

16년의 학창생활을 하면서

한번도 연말정산에 대해 배운적이 없기 때문이다.

그래서

고등학교를 졸업하고 직장생활을 하든

대학교를 졸업하고 직장생활을 하든

연말정산 때문에 애를 먹는다.

꽃가루가 흩날리고

녹음이 푸르른 5월이다.

지금은 책을 읽으라고 공부를 하라고 말하기도

미안한 계절이다.

실컷 바깥으로 돌아다니며

캠핑도 하고

차박도 하며 놀다가

올해가 끝날때쯤 찬바람이 불어올 때

슬슬 연말정산을 준비해야할 때
그때 읽어도 좋다.
여러분의 세금생활을 응원하며...

--2024년 5월 여름을 기다리며--
부동산여신&금융의여왕&달리는부자&책쓰는부자&강의하는부자

(신은주)